人工知能が変える仕事の未来［新版］

野村直之

nbb
日経ビジネス人文庫

目次

第8章 日本のAI開発はどう進めるべきか？

第9章 AIと人間の未来を恐れるなかれ……301

はじめに

2012年頃から再燃した人工知能、AI（Artificial Intelligence）ブームは、2020年代に入ってようやく落ち着いてきた感もあります。とはいえ、決してブームが偽物だったわけではなく、様々なAI関連の製品やサービスが普及しはじめ、今後は確実に根付いていくと考えられます。ロボット、5G、IoT（Internet of Things）、自動運転などの関連キーワードとともに、むしろ、質、量ともにますますブームが加速しているかに感じられます。

本書は、第3次AIブームの最中に毎日のように、人工知能についてのインパクトのあるニュースが流れる中、人工知能の産業応用について考えつづけた結論をまとめたものです。筆者は、第2次AIブームの少し前から、職業的にAI、自然言語処理の研究開発に従事し、1990年代にマサチューセッツ工科大学（MIT）人工知能研究所の客員研究員（Visiting Scientist）として、ノーム・チョムスキー氏（自然科学としての言語学を創始）、マービン・ミンスキー氏（人工知能の父）、ジョージ・A・ミラー氏（認知心理学の開祖、ワードネット［WordNet］プロジェクトを創始）他の薫陶を受けました。当時、脳内の言語知識のモデルを研究したり、その観点でワードネットの概念体系の検証法を考えたり、それらの成果を踏まえて、情報検索の体感精度を改善したり、高精度な文章要約システムを開発したりしました。これらの経験を踏まえ、近年の様々なＡＩ研究や産業応用のもつ意味を考えて、本書を書き起こしました。

本書には数式も、ソフトウェアのソースコードもまったく登場しません。ＡＩの産業応用や、ＡＩが浸透した社会における人間の役割、教育のあり方などに興味、関心をもっておられる方に、必ずや、お役立ていただくことができると思います。

ところで、ＡＩの研究開発について、ぜひ読者の皆さんに理解しておいていただきたい重要な論点がひとつあります。それは、ＡＩ研究者や関連業界の様々な思惑から、過剰な期待を煽る言説が唱えられていることに関するものです。筆者としては、こうした過剰な期待感、あるいはその裏返しとしてのＡＩ脅威論が、今後のＡＩ開発にとって差し障りになることに強い危機感を覚えます。

第2次AIブームのときにも、10年以内に人間と同じように自律的に学習する機械が誕生するとか、5年以内に、機械に投入する知識量を上回る知識を機械が自動獲得しはじめるなどの言説が流れていました。身近なところでは、人型ロボットは目立ちませんでしたが、「ニューロ・ファジィ（ニューロは現在のディープラーニングの原型）搭載の洗濯機だから汚れがよく落ちる」というテレビCMが流れていました。ちょうど論理ベースのAI開発を柱とした第五世代コンピュータ開発機構に通産省（経産省の前身）が1500億円を投じた時代で、バブル経済に乗って日本の技術力が世界最強であるというイメージが一般に浸透していました。

第3次AIブームでは、AI技術の凄さを強調するあまり、「2045年までに、AIがAI自身を進化させて人類知を超えるシンギュラリティ（生物史の不可逆的転換点としての特異点）が訪れる。やがて非効率で愚かな人類を排除するようになる」など、逆説的に危機を煽る言説が見られました。そのように研究者が主張する場合、その目的、動機のひとつは、他分野との競争に勝って研究費を獲得しやすくすることにあります。分かりやすい例としては、「仮にAIに追われた人類が地球から逃げ出すとしたら火星や太陽系外惑星に移住することになる。だから、そのための探査研究の予算を増額してもらおう」という動機があったりするでしょう。

筆者の考えるところでは、今世紀中にシンギュラリティが到来することはありません。まず、そもそもＡＩが模倣すべき知能を自然科学の対象として定義できていないので、目標が不明確です。また、知能を発揮するのにはある程度の知識が必要ですが、その知識の量など、どう測ったらいいのでしょう。個々の知識の構造や大きさも脳内とまったく同じにコンピュータ内に再現できているとはいえません。日常世界や社会についての「常識」の構造、その分量や特性を工学的に計測することもできていません。ましてや意識、自我、責任感を備え、情動に基づく行動、発言、自問自答から新しい仮説を自ら発想する機械を作るための理論が出来上がり、開発の目途が立っているとは聞いたことがありません。神経科学の順調な発展に乗って手探りながら少しずつモデルが進歩したり、山中伸弥京都大学教授のｉＰＳ細胞のように地道な研究の蓄積の上に、ある時点で突如として科学技術が急展開したりすることも時にはあるでしょう。地道な、1次関数的な進歩と、断層的な進化の組み合わせです。

これは決して、指数関数（幾何級数）的な進化ではありません。ＡＩが属するソフトウェア技術というものは、これまで指数関数的には進化していません。開発ツールの進化や、オープンソースの共有によって365日、24時間研究が進み、2次関数的に進化が加速することはあるかもしれません。しかし、テレパシーをもたない人々の頭脳群の間で核分裂の連鎖反応のように指数関数的に思想、ひとつの思考の産物が肥大することはないのです。

第3次AIブームも、突然生じたように見えて、実は、AI冬の時代の研究成果や、長年にわたる地道な手作業による知識の作成に支えられて開花した側面があります。そのことについて、本文中で、膨大な言葉の体系「ワードネット」(WordNet)と、ワードネット中の概念、名前を膨大な写真に付与した「イメージネット」(ImageNet)を例に説明します。

おそらく人類の科学技術史の中で、指数関数的な改善が起こった唯一の例外が、半導体の高集積化です。いわゆるムーアの法則「半導体の集積率は18ヵ月で2倍になる」が実際に何十年か通用してきました。それは、半導体製造装置がフォトリソグラフィという、平面写真の露光によって回路図をあたかも印刷するような方式を採用したことで実現しました。ステッパーと呼ばれる縮小投影型露光装置は、1億円もするような高価なレンズで回路パターンを微細化して焼き付けます。ステッパーのレンズを高性能化するなどして、配線幅を2の平方根、すなわち4割ちょっと圧縮できれば、2次元なので約1・41……の2乗、すなわち2倍の集積率となります。これを18

ヵ月毎に達成できたことで、集積率は倍々ゲームで向上し、ムーアの法則が成立しました。

鉄に代わって「産業のコメ」となった半導体はあらゆる情報機器、そのCPU（中央演算処理装置）や、GPU（グラフィックアクセラレータ）、メモリ、外部記憶装置などの部品として使われます。これらがムーアの法則に従って高速化、大容量化すれば、ソフトウェアは、より快適に動作し、使い勝手が向上します。あまり賢い方向への進化とは限りません。急速なメモリの大容量化、低価格化により、それまで高価で遅かった（比喩的に「重たかった」）ソフトウェアが一般家庭でも動作し、利用できるようになっただけというのもあります。こうして、今まで広く普及していなかったソフトウェアが多くの現場に普及することで、あたかもソフトウェア自体が進歩したかに見えることもあります。しかし、内部の基本的な計算手順（アルゴリズム）や、そもそもの計算方式（ノイマン型と呼ばれるプログラム内蔵方式など）の種類が指数関数的に増えたり、進化のスピードを速めたりした、などとは聞いたことがありません。

シンギュラリティの根拠として、AIがAI自身を進化させるだろうという言説もあります。その可能性も全否定はしませんが、「生物が自身を進化させたように」という枕詞は事実に反します。「ダーウィンの自然淘汰説によれば、多種多彩な突然変異のごく一部が新環境に適応して生き残るものです。生物は自らの意思で進化するわけではありません。これをどう覆し、反駁できたのですか？」「また、単なる比喩ではなく、生物を具体的に範とするにはどうしたらよいのでしょう？　ＡＩが意思や自律性、ないしは自己複製本能などを備え、自己評価（自己否定？）して、何らかの目的、方向を目指して自己を改良できるようになるには具体的にどうしたらよいのでしょうか？」と問い返すようにしています。量的変化が質的変化を生むこともあり得ます。しかし、現在の技術の素直な延長、すなわち深層学習などの規模やパワーを拡大しただけで、自意識や自律性というまったく別次元の特性が芽生えるでしょうか。そのようには、どうしても考え難いのです。

以下、本書の構成を紹介した後、人工知能（ＡＩ）の本質と、ＡＩの引き起こす本質的な変化について、企業と企業内で働く個人に視点をおいて、語ります。特定の業界、業務にとらわれない、ＡＩ応用の方向性を探ります。

第1章では、「第3次ブームのＡＩは何ができるのか？」と題して、様々な人工知能研究とその応用のいくつかの側面を眺めます。第3次AIブームの起爆剤となった計算パワー向上などの要因を考察し、今のAIに何ができるか、ヒト（生物種や生体としての人間を指すときカタカナ表記とします）と対比して論じます。一方、AIが模倣せんとする人間の知能自体が科学的に未解明、定義が曖昧であることも手伝って、AIの定義、分類も多種多彩となります。

そこで、様々なAIを3つの軸（特徴）でシンプルに分類するとともに、あまり注目されないものの急激に有用になりつつあるタイプのAIにも目を向けます。ここからシンギュラリティ論への懐疑も生まれます。そして、産業構造を変革せんとしているネットワーク・サービスのインフラや、今日のAIと持ちつ持たれつの関係にあるビッグデータの増大がもたらす社会の変化に触れます。産業（経済）、権利の面にも触れつつ、変化を体感できるような説明を試みます。

第2章では、人工知能が変える仕事、特に、ホワイトカラーの知的生産のプロセスがどう変わるかについて考察します。AIは、従来の機械が担えなかった、何らかの知的な作業を代替できそうです。疲れを知らず、大量に低コストで、ホワイトカラー業務の一部を担えそうだと期待されています。かといって、ニーズやきっかけがなければ、経済社会は変化しません。ニーズもきっかけもあります。実際に、消費者、利用者が、企業に対してリアルタイムな反応を要求するようになり、従来のホワイトカラー業務のスピード、処理容量では追いつかなくなってきつつあるのです。これが、知的作業、事務作業にＡＩを導入しなければならなくなる環境要因となります。

消費者が、様々な最新状況、情報、知識についてスマートデバイスを介して企業が即答してくれることを当たり前に要求するようになりました。企業にリアルタイムの対応を要求する消費者の〝わがまま〟を叶えるには、企業内部の業務プロセスもリアルタイム化しなければなりません。今後の少子化、競争激化によるコストダウン要求、人員削減と、サービス内容・品質の向上、反応スピードの向上とを両立させるには、ＡＩによる生産性の向上が必要不可欠でしょう。

個別の業界ごとの特徴については、文庫版の元となった単行本に委ねます。本文庫版第2章の後半では、ＡＩによる新サービスにせよ、既存サービスにせよ、ＡＩにより新しい付加価値を付ける発想が重要であることを示します。そのための思考プロセスこそ世に広めなければなりません。そうして、サービス水準を大きく向上させ、受益者を増やしつつ生産性を飛躍的に向上させるコツを他業界から学ぶことも大切です。

第3章では、AIと二人三脚で知的なインフラを構成するIoT（Internet of Things）を取り上げます。今後、消費者が常時携帯するスマートデバイスを介して、消費者の行動をリアルタイムでトラッキングしたりできるようになります。そのための環境、インフラを構築するためには、センサー、通信機能、簡単な計算機能を埋め込んだIoT機器が大量に使われます。さらに、5G、6Gの進展により、応答時間が桁違いに短いAI機能の実現が見込まれます。その際に、クラウドという、「ネットの向こう側」では反応が遅くなってしまうので、エッジサーバーと呼ばれる中間地点にAIが置かれたりするようになります。

第4章では2章を引き継いで、ユーザが企業にリアルタイムの応答を要求するようになった時代に、「サービスの生産性向上は待ったなし：AIが劇的に不定形データの分析を高速化し経営を支える」と題してAIの役割を探ります。リアルタイムで得られる、顧客の声などの生データを、AIを道具として活用することで分析し、新たな仮説の発見や定量評価を行います。これにより競合間のポジショニングマップを生成することなどで、一目瞭然の経営指針が得られるようになります。データを扱う際の留意点を考察するとともに、分析はデータ・サイエンティストより現場の人や経営・企画担当が直接担えるよう、AIソフトウェアが進化すべきと論じます。ビッグデータ、生データを活用した「事実に基づく経営」は素晴らしいのですが、膨大な分析作業の負担でスピードが落ちるのはよくありません。むしろスピードアップさせるにはAI導入が不可欠となります。

第5章は、第3次AIブームの花形、ディープラーニング（深層学習）で飛躍的に実用性が高まった、〝認識・認知能力〟がテーマです。これによって、社会生活、そしてそれを支える産業がどう変化するかを探ります。まず、画像や音声について、専門家の識別能力を写し取ってしまうことのできるディープラーニングの本質、特質が体感できるよう、実例を用いて説明します。ディープラーニングをトレーニングしてAIを作成するには、入力側と出力側に、正解データ、すなわち学習させたい生データのペアを多数用意します。こうして、原則、新たなプログラミングなしに新たな認識・識別能力をディープラーニングは獲得します。新規応用や、機能拡張の際に、数式やロジックを考えて新規にプログラミングを沢山行う必要はありません。ディープラーニング用に新たに「トレーニング用データ」を整備することで、高精度な画像分類などの道具が作れるようになりました。入出力に様々なものを置けるので非常に汎用性は高いですが、独特の欠点や限界もあります。

第6章は、〝学習・対話能力〟による社会の進化の将来を探ります。AIが日本語や英語などの自然言語による対話、要約、作文ができるようになりました。これらを駆使できる、エージェントと呼ばれるソフトウェアによる社会生活の変化がテーマです。人間と同様の膨大な常識知識を備えて、「いい加減（デタラメの意味）」もとい「良い加減（程よい加減）」で、曖昧な指示を解釈したり、言い誤りを訂正したり、時にはスルー（やり過ごし）してくれたりする。そして時には、他のエージェントに必要な情報を聞いて活用したり逆に作業を依頼したりできるソフトウェアやロボットが誕生するでしょう。これらの機械が、いつでもどこでも人間の要求を聞いて叶えてくれるようになったら実に素晴らしいのではないでしょうか。〝学習・対話能力〟は、まだ今後の飛躍が期待されるテーマです。ＳＦショートショートなども参考にビジョンを描き、豊かな社会生活を実現するための正しい方向性を探ってみたいと思います。時に突如として破壊的テクノロジーを生み出し得る研究開発の舵取りのためには、市場原理にまかせるだけは不十分。将来ビジョンを共有し、社会全体で議論することも重要なのではないでしょうか。そのための基礎知識を提供し、問題提起を行います。

第7章では、業界横断的にAI応用の今後を俯瞰すべく、様々な産業、ビジネスに参入を図る破壊的テクノロジー〝X-tech〟の潮流を取り上げます。金融業界を変革するフィンテック（Fintech）を別の何かの業界Xに置き換えたのがX-techです。旧来のモノ商品の供給を、サービス提供として再定義、再構築する。この流れで商流、ビジネスモデルを変革する際には、X-techが起爆剤、梃子となり、パワフルなAIが推進力となることでしょう。AIの〝燃料〟にもたとえられるデータがますます重要となります。そこで、社会におけるデータの活用を支える仕組みを探るため、後半では、AIにまつわる様々な法的側面に触れます。特に、メディアの将来とAIによる創作物の特性、著作権のあり方について論じます。

２０１９年、消費増税のショック緩和を兼ねて行われた電子マネー活用促進策（5％バックなど）は、デジタルによる高速電子取引を、デジタル先進諸国並みに普及させようとするものでした。この高速取引を支える企業内、企業間ネットワークの本格デジタル化、自動化の流れは、ＤＸ＝デジタル・トランスフォーメーションと呼ばれます。このDXをスムーズに進めるには、これまで人手でじっくり判断されていた処理の仕分けを自動化するAIが必要です。企業間でこのようなDXを推進するには、企業が互いのインタフェースを、API（Application Programming Interface と呼ばれるサービス部品）として提供し合うことが必要です。このAPIに人工知能的な機能をもたせることで、時々必要になっていた人による判断を不要とし、DXの速度上のボトルネックを解消することができます。

最後の2章では、AI研究、応用の国際比較、異分野からの参入による業界再編成なども念頭に、今後、私たちが主体的に選び取るべき未来に思いを馳せます。そして、AIの開発、活用にどう取り組むべきかについて考察します。

第8章は、「日本のAI開発はどう進めるべきか？」と題して、まず、日本の現状を欧米、中国と対比して私見を述べます。IoTや製造現場のノウハウを日本の優位点として活かしながらも、日本人が陥りがちな近視眼的、蛸壺的な専門分化をよしとしないようにしましょう。現場で使える専用AIをへて汎用AIを目指すことで、AI開発・応用の「量産効果」「スケールメリット」を追求することができます。これについて、物量を投入して力づくで「囲碁で勝つ」という単一タスクに特化したAlphaGoを事例に考察します。その一方で、前回の第2次人工知能ブームが一気に冷めた反省として、産業界でＡＩというキーワードを消費する危険を指摘し自戒を促します。特に、「人工知能搭載だから」と連呼しつつも、その実態は、中身の技術もデータ量も貧弱なケースが問題です。見かけや振る舞いが少し人間くさかったりするだけで、実は古くからの統計処理などをＡＩと呼び代えたりするだけの、実質的な詐称も横行しています。これらのまがい物は、静かに優秀な技術、ノウハウを蓄積する本物の企業の活躍を阻害しユーザの信用を失墜させてしまいます。ＡＩの定義が曖昧なことに付け込んで好き勝手なブランディングに走り、ユーザ現場での生産性向上まで目を配らず、売り逃げたりしていては、いずれ敗退することでしょう。

第8章ではまた、業界ごとに目立つ国内ＡＩ関連企業の取り組みを見渡して、自動運転車が象徴するように、ＡＩが加わることで起こる業界再編について垣間見ます。さらに、ＡＩ時代に有能で幸福に働ける人材をどう育成すべきか論じます。似たようなＡＩ（道具）でも、企画者・開発者次第で人間をスポイルすることも創造的にすることもあります。そんなＡＩの開発、活用には注意深く取り組む必要があります。

最終章、第9章では、「AIと人間の未来」と題して、まず、ディープラーニングの単純な延長線上に、ひとりの人間の全人格、全能力、すべての人間らしい反応を置き換えるようなコンピュータが近未来には誕生しそうにないことに触れます。強いAIの目指す、人間そっくりの機械は、自我、自意識、本物の感情、責任感をもち、交渉や妥協もできて、嘘もつけるようなコンピュータであり、もはや「道具」ではありません。逆にいえば、それ以外のAIは、すべて、道具です。道具は、たとえ5メートルの棒であっても素手の人間の能力を超える部分があります。ゆえに、「人工知能はいつ人間の能力を追い越すか」という質問は無意味です。

道具として能力を発揮する部分では人間の足りない能力を補う存在ですから、道具として誕生した瞬間からその専門能力で人間を超えているのです。微積分の公式をプログラムされたコンピュータは半世紀以上前から人間より何桁も早く複雑な図形の面積を計算したり、速度の変化の度合を「予測」したりしていました。そのことに劣等感や脅威を覚える必要がどこにあるでしょうか？　相手は道具です。

AI、ロボットが安全な道具でありつづけてもらうために、心配ならば、SF作家アイザック・アシモフが考えた「ロボット工学三原則」を作り込めばよいという考え方があります。しかし、これはなかなか難しい。少なくとも当面の科学技術では実現できそうにありません。そこでやはり、良いＡＩも悪いＡＩも設計者次第、学習データ次第、という時代が当面続くことを示します。

後半は、ＡＩ時代に働く我々の仕事に焦点を当てます。機械の部品になったかのような単純作業は、なくなるべくしてなくなるでしょう。かつて、電話交換手という当時の女性の花形職業が消滅したようなことが、かなり広範かつ大規模に徐々に起こることが予想されます。しかし、それが極端に急速でなければ、人間は、より人間らしい、創造的な仕事にシフトできることを述べます。その鍵は「なぜ？」という問いを発することです。

ＡＩをトレーニングするための道具、生産財を提供する高付加価値の仕事が、グーグル社などの海外大手に独占される可能性はゼロではありません。そこで、その懸念について、労働経済の観点から考察します。

２０１６年９月末に、「グーグルなど米５社、人工知能普及へ新団体」というニュースが流れました。「人々と社会に貢献する人工知能のためのパートナーシップ(Partnership on Artificial Intelligence to Benefit People and Society)」という団体(https://www.partnershiponai.org/)です。ＡＩ応用のベストプラクティスを描き、ＡＩの正しい理解の浸透を図り、ＡＩとその人と社会への影響についてオープンな議論の場となろうとしています。２０２０年4月末時点で、13ヵ国にまたがる61のＮＰＯ、20の企業、19の学術機関が加盟しています。

２０１７年頃から法曹関係者の間で、悪意をもった人間によるＡＩの悪用や誤用による被害を防ぐための議論がなされています。また、逆にＡＩ活用の加速やＡＩ導入によって複雑化する製造物責任法（ＰＬ法）、保険ビジネスなどをめぐる議論が活発化しています。まだ実態のない将来の道具やサービス、業務分担の責任分界点などを議論しているため足が地についておらず、「空中戦」と自ら揶揄する声もあります。現場からは、いまだに紙の判例を手作業でめくって人が読んで探すなどの時代遅れな法曹界自身のＤＸ＝デジタル・トランスフォーメーションこそ加速すべしとの意見も聞こえます。しかし、著作権法をＡＩ前提に改正する動きでは日本のスピードも決して遅くなく、今後に希望がもてます。

業界、国境を越えて、ＡＩ活用により幸福な社会を創造しようというコンセンサスへ向けた動きは徐々に広がっているように感じます。グローバル企業による個人情報の独占がもたらす、サービスの囲い込み、富の集中の問題など、解決すべき課題は山積していますが。

多くの研究者や様々な業務の現場で奮闘する人々との議論を踏まえてまとめた本書が、ＡＩの実像を正しくとらえ、その意味、役割を正当に評価するのに役立てられたら幸いです。そして、生産性向上とサービス改善を両立する有用な道具として、読者の皆様が、業務に、生活に、ＡＩをうまく活用していただけるよう望みます。ＡＩの時代に、より多くの人々が創造的な仕事を通じて幸福に生きていけるようになるよう、本書全体を通じて祈念いたします。

第1章 第3次ブームのAI（人工知能）は何ができるのか？

急速に進む人工知能研究

知能とは何でしょうか？　小学校で知能テストを受けたときの説明にもあったような気がしますが、「経験したことのない、未知の事態に遭遇して、その場で問題解決のアイディアと具体的な手法を発明、考案し実践し、それを証明する能力」のように表現されていたと思います。非常に高度で、創造的な人間の能力です。これを人間の手をまったく借りずに実現できているコンピュータが2020年現在にあるか？といわれると、まだない、と回答するのが正しいように思われます。

実際に人工知能（ＡＩ：Artificial Intelligence）関連の研究開発に従事していると、何と人間の能力は素晴らしいのだろう！と感動し、時に打ちのめされます。機械に、人間のような、何か知的な振る舞いをさせる。それも、もともとコンピュータが得意とする数値計算や検索などではなく、何かを見て、聴いて、理解して、秘書や相棒のように発言し、行動する。相手の表情や語気、声音から、楽しそう、怒っている、悲しみ落ち込んでいる、などを読み取って、それに相応しい対応をする。これらの対応が見事にできる機械が出てきたら、たしかに便利で豊かな生活、仕事の世界が開けるような気がします。

現在、人間のように感じたり考えたり、また、人間に教えられなくとも勝手にどんどん学習したり、自らを進化させていくような真正の人工知能はまだ存在していません。とはいえ、脳の神経回路網を模した、ニューラルネットという半世紀の歴史がある技術（従来入力層、中間層、出力層の3層だったのを多層化したものを「ディープラーニング」と呼びます）により、２０１２年以降、画像認識の精度が飛躍的に向上するなど、２０１０年代以降、急速に人工知能研究が進みはじめています。画像に何が写っているか説明したり、ゲームの局面を予想して勝とうとしたりする新しい応用が次々と登場しています。従来から様々な手法で部分的に実用化されてきた音声認識、機械翻訳といった応用テーマについても、ディープラーニングにより、精度が大きく向上しつつあります。

他の手法、ディープラーニング以外の機械学習最適化のアルゴリズムを含め、人工知能的なコンピュータ・ソフトウェアが実用的になってきた背景には大きな要因が2つあります。

1　大量データ（ビッグデータ）が発生、流通し、手軽に使えるようになった。

2　計算機のパワーが前回の人工知能ブーム時の何千倍、何万倍にもなった。

後者についていえば、こんな数字があります。筆者が社会人1年生のときに開発チームの末席に加わった、NEC（日本電気）初のスーパーコンピュータSX－2の性能が1985年、1・3GFlops（1秒間に浮動小数点演算13億回）でした。出荷時点で世界最高速。一方、2016年に、ディープラーニングの実験用に、100万円未満で買い求めた米国エヌビディア（NVIDIA）のグラフィックボードGTX1080を4枚搭載したPCは、36TFlops（1秒間に32 bit の浮動小数点演算36兆回）という性能です。これは、2004年当時、第2位の5倍速でぶっちぎりの1位だったスーパーコンピュータ、NECの地球シミュレータより若干高速。SX−2の3万倍近い速度です。地球シミュレータの6年間のレンタル料は200億円近くで、それに加えて、保守費、電気代、ガス代（冷却用）が年間約50億円加わります。

毎秒36兆回という速度は、1秒に赤道上空を7・5周という速度の光をもってして、1回計算する間にわずか0・8㎛しか進めない速度。すなわち、光が毛髪の太さの1／100しか進めない間に桁数の大きな掛け算が完了、といえば実感できるでしょうか。その後、数年程度で、16bit演算ならその10倍以上、毎秒500兆回（0・5京回）を超える性能が百数十万円程度で手に入るようになっています（エヌビディア社チップ搭載のGPU RTX−2080Ti〔2020年初頭の実勢価格14万円〕を5枚搭載したハイエンドPC）。

このように、元々機械が得意な、単純作業の反復、総当たり、しらみつぶしにチェックする能力は順調に、数年おきに桁違いの進歩を続けています。これを指数関数的な性能向上といいます。「加速度的」をはるかに超える、性能、容量の増大です。

これは計算パワーだけでなく、ハードディスクや半導体メモリなどのデータ保存容量の進歩にも当てはまります。半導体の配線の細かさや、磁気記録の密度の倍々の向上が1年半程度で達成されつづけたことで起きた、異常なほどの性能向上といえるでしょう。一方、インターネットなどの通信速度の増大はここまで劇的ではありません。そこで、データ本体ではなく、データについてのデータ、すなわちメタデータをやりとりして、インターネット上に分散するデータ群を、あたかもひとつのデータベースに見せる技術も発達してまいりました。

ソフトバンクの創業者、孫正義さんが、いずれCPUのトランジスタの数がヒトの脳細胞の数を超えることを根拠に、その頃に人工知能が人間の能力を超えるようになると発言をしていたことがあります。高速性だけをとってみれば、1秒間に多数桁の掛け算を13億回とか36兆回とか1京回とか暗算できる人間などそもそも存在しません。脳の神経細胞間の信号は化学物質も媒介して数ミリ秒単位という低速で伝達されますから当然です。人間らしいふるまいという意味で、知的なことをコンピュータにやらせるには、現在の仕組み（アーキテクチャ）のまま単純に容量を増大させたり、高速化させたりするだけでは不十分と思われます。

「何ができるか?」から人工知能を考える

ひとつ大事なのは、人工知能を、「ディープラーニング」などの手法で分類するのでなく、何ができるか、という応用面から分類することです。先ほどの例、「見て、読んで、理解すること、翻訳すること」などは、従来、人間が得意で、機械は苦手なことに分類されてきました。人差し指や、矢印の指す先に自然に視線を向けたり、興味深い動きをする玩具をみて笑ったり、などなど、赤ちゃんでもできることが、従来のコンピュータにはほとんどできませんでした。

成人が普通にできること、そう、自分自身が世界の中に存在していることを意識し、物事に接して感情と理性で考え、判断し、発言し、行動する。これらを限りなく人間と同じように実現し、可能ならば人間と同様の仕組み、原理で実現しよう、と志向する研究は「強いＡＩ」と呼ばれます。本格的に人間の脳の仕組みを人工的に再現しよう、それはいつか必ずできるはずだ、という強い主張、信念に基づいているからでしょう。物事を忘れたり、嘘をついたり、といった、人間の「弱み」とされる特性さえも完全に真似しようとするのが本来の「強いＡＩ」です。このあたり、「強い」

という形容詞の印象のせいで誤解しないようにしなければなりません。何の役に立つかを考えるのは後回しで、人間そっくりな機械ができれば、用途は自然に思いつくだろう、というアプローチなのかもしれません。あるいはまったく応用は考えないか。したがって、実用志向の工学というよりも、自然科学寄りのアプローチともいえます。

これに対し、超高速計算や大量のメモリ、すなわち丸暗記と100％正確なその再現など、本来機械が得意だった能力を活かして、もっと使いやすい道具にしようというアプローチがあります。そのために、自然言語などの人間的なインタフェース、流儀を機械に学ばせよう、という実用志向のアプローチです。人間が本来得意な能力を拡充、拡大する道具として役立てばよいではないか、という立場です。これは「弱いAI」と呼ばれます。「弱い」と形容しつつ、強力な計算パワーで、人間の能力をますます強力にし、人間の問題解決を助けよう、というものです。「弱い」という形容の印象に騙されないようにしなければなりません。

20世紀後半から叫ばれている情報爆発は、止まることを知りません。人手で分析しきれないビッグデータが溢れ、ソーシャルメディアが数千人の知人を的確に紹介してくれたりします。少子高齢化で頭脳労働を担う人口が減少するなか、今後人工知能的な道具の普及、仕組みの浸透は不可避と思われます。人工知能がいわゆる事務労働や頭脳労働の一部を肩代わりすることにより、なぜ働くのか?という働くことの意味や社会のあり方、そして、人間関係のあり方まで大きく変わる可能性があります。ただ、筆者は、そのような変化は今後30年から100年の間に徐々に進行する、と考えます。人間の身体的能力はもちろん、考え方、感じ方、思考能力など、これらをまとめて、人間の情報処理能力が、半導体のように年々倍々ゲームで進化するだろうか?と疑問を覚えるからです。法制度、社会慣習の変化は、個人のライフスタイルの変化よりさらに遅れがちです。

グーグルで未来予測をしているレイ・カーツワイル氏が語るように、仮に、社会全体としての記憶力や創造性を想定しても、それらが幾何級数的に、1年で2倍、10年で1000倍に向上し、変化するとは考えにくいのであります。「生物のように自己を進化させる特異点」をシンギュラリティ(もっと曖昧に「ヒトの能力をAIが超える点」とする定義もあります)とする主張に対しては、「はじめに」で触れたように筆者は否定的です。ディープラーニングの実態、本質を実感していただく後述の説明の後に、改めて、人工知能が人類の生存を脅かすような勝手な進化をなし得るかご判断いただくといたしましょう。

AIの定義、ニュアンスの広がり

そもそも、人工知能（AI：Artificial Intelligence）とは何でしょうか？　その回答は、AI専門の研究者の間でもまちまちだったり、曖昧だったりして、実は人工知能の定義ははっきりしていません。「人工」が付く以前に「知能」（intelligence）という概念そのものについても定義は不明確と思われます。冒頭に記したように、「未知の問題、初めて接した状況に対処し問題を解決できる能力」を知能と呼んでよいと思います。しかし、知恵の正体、知的であること、知識と知能の関係など、果たして科学的に厳密に定義できているでしょうか。英語や日本語、それぞれの母国語話者と、第二言語（外国語）として理解する人によっても、微妙にニュアンスが違うような気がします。

ヒトの知能を測る知能指数IQ（Intelligence Quotient）には2種類あります。ひとつは、子供の知能の発達を、生活年齢と精神年齢の比で表現した従来のIQ。もうひとつは、同年齢集団内での偏差値に相当する偏差知能指数（Deviation IQ）です。そもそもいずれも加齢や集団内のバラつきが生じない人工知能には適用できません。

も、知能そのものの定義を避けた指数ともいえます。IQやDeviation IQの“I”＝“Intelligence”については、日本語の「知能」と、英語の“Intelligence”はほぼ同じ意味で使われているようです。英語の“Intelligence”は、日本語の「知能」と同様の「認識し、理解するための能力」を意味するだけではありません。「このような能力が生み出した、きわめて重要な、個人や国家の死活問題を左右するような情報」をも意味します。

有名な用例は、CIAと略される米国中央情報局（Central Intelligence Agency）です。このIntelligenceは、命を賭してでも入手したり破棄したりしなければならない、社会に重大な影響を及ぼしかねない重要な情報を意味します。余談ながら、もしCIAのIがInformationであったら、「合衆国中央観光局」のようなお気楽な緩い政府機関をイメージさせてしまうようです。

ヒトの頭脳をネットに直結するチップを脳に埋め込んだ人類初のサイバー兵士を米テレビドラマ“Intelligence”が描いています。このドラマの主題は、機械との接続で強化された知性、Augmented Intelligenceです。また、CIAエージェントが狙うような機密情報を、サイバー空間の中で追う様子を描いたものでもあります。これは、サイバー・インテリジェンス（Cyber Intelligence）と呼べるものです。Artificial

Intelligenceという英語名には、「サイバー空間上での外交・軍事を左右する重要な情報」、というニュアンスが、読み取れなくはありません。しかし、日本語の「人工知能」には、そんな解釈の余地はありません。

「知能」にせよ、「人工知能」にせよ、明確な定義がないため、一般用語として解釈されます。すなわち、母国語話者の感じるニュアンスを引きずって、各地で使われます。英語圏（および、ほぼ直訳が同様のニュアンスを伝える欧州語圏）でAIが軍事応用を強く連想させるのは、Intelligenceという言葉が外交・軍事のニュアンスをもつせいでしょう。AI自身の勝手な進化によるシンギュラリティを心配するよりも、軍用AIやAI搭載の大量殺戮ドローンなどを意図的に人手で作り上げた結果、人間にとって危険なAIが作られてしまうことを心配すべきではないでしょうか。

多種多彩なAIの分類：人工知能は万能ではない

「人工知能搭載だから高性能です」という説明は最近のニュースや特集番組にも見られますが、これは何の説明、理由付けにもなっていません。第2次人工知能ブームの際に流れた、洗濯機のテレビコマーシャル、「ニューロ・ファジィだから汚れがよく落ちる」というのとあまり変わらないといえるでしょう。

人工知能（AI）には多彩な種類があります。アルゴリズムやアーキテクチャ（仕組み、設計思想）、データ構造などのAI技術そのものの分類以前に、まず、扱う対象、データで分類すべきでしょう。すなわち、そもそも、対象データが画像や文章など不定形で、従来はもっぱら人間が扱うしかなかったという意味でAI的なのかどうか。次に、情報加工のやり方、処理タスクの性質がAI的なのか（「学習」「予測」や「意味の理解」、曖昧な指示を解釈して作業など）。そして、技術そのものがAI的（昨今ならディープラーニングを使っているか、以前のブームならProlog、LISPなどのAI言語、探索・最適化アルゴリズムなど）なのかという違いを意識して分類する必要があります。さもないと、AさんとBさんの2人で対話していて、同じAIという言葉を使いながら、お互いに全然違うものをイメージしていて話が嚙み合わない、ということになりかねません。

実際、ビジネス関係者の会話の中でも、テレビ番組での取り上げられ方でも、AIには様々なニュアンスが伴います。画像や動き、音声を認識したり、人間の言葉や感情をわずかでも解釈するような技術要素が入れば人工知能とされます。また、チェスや将棋、囲碁のように人間がプレイヤーとなって頭を使うゲームや作業も、全般に人

図表1-1　人工知能（AI）の3軸分類:「強ー弱」「専用ー汎用」「知識・データの量」の3軸で分類

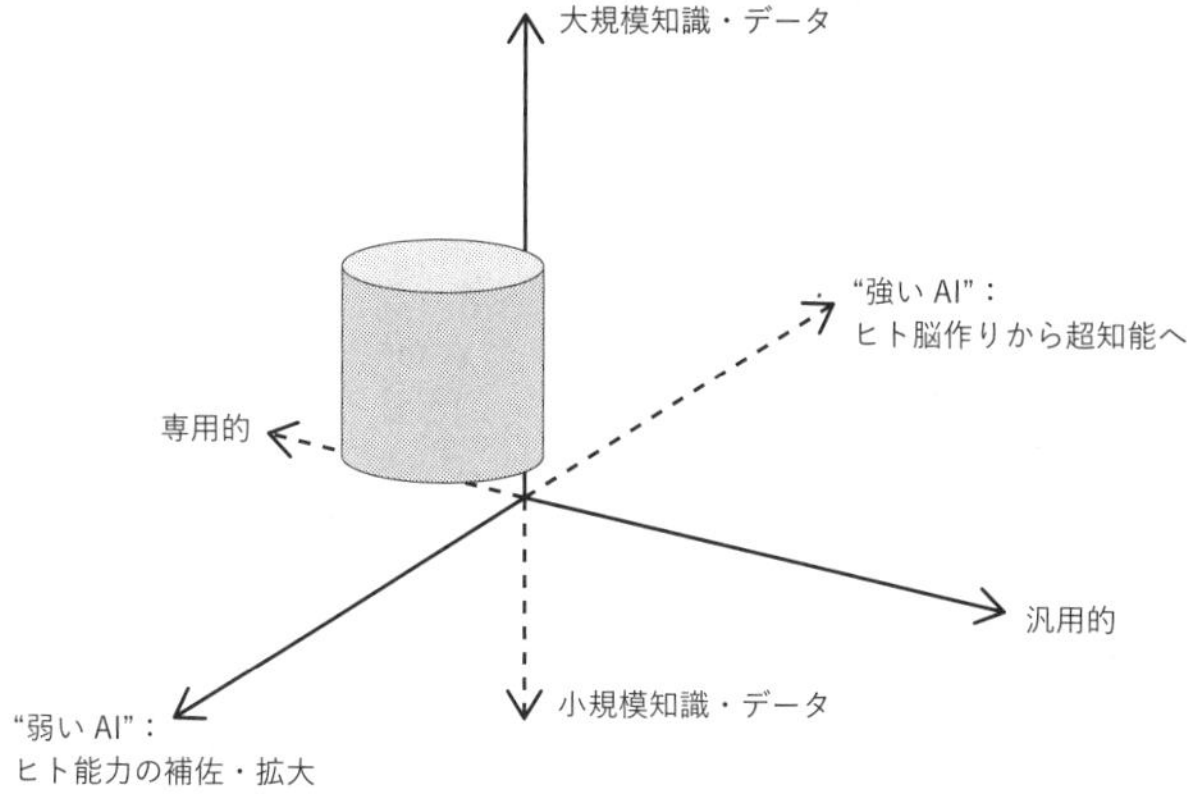

（出所）筆者作成

工知能と呼ばれがちです（実態が機械学習などの人工知能の手法を使っていなくとも）。楽器の演奏など身体を駆使した、従来は人間にしかできなかった作業全般も、人工知能が制御するロボットの技術と認知されています。対話ロボットなどのソフトウェアや、クイズに答えるソフトウェアは、情報のランキング、レコメンデーションと似た技術の延長にあります。にもかかわらず、やはり人間臭いところから人工知能、と認識されていることでしょう。

　少し幅広く「知的なふるまいをするソフトウェア」と緩く定義しておいて、どんな種類の人工知能があるのか考えてみたいと思います。3つの軸で分類します（図表1－1参照）。ひとつめの軸は、先にも触れた「強いAI」vs「弱いAI」です。

「強─弱」「専用─汎用」「知識・データの量」の3つの軸

「強いAI」とは、前述のように「人間の脳と同じふるまい、原理の知能を作る」ことを目指すAI研究のことを指します。「弱いAI」は、「人間の能力を補佐・拡大する仕組みを作る」ことを目指すので、必ずしも人間の脳の構造や、機能さえも解明する必要はないということになります。

2つめの軸は、「専用AI」vs「汎用AI」です。汎用、専用というのは、互いに相対的な定義とすることもできます。たとえば、チェスしかできない機械と、チェスも将棋も、囲碁もできる機械とを比べたら、後者のほうが汎用的といえるでしょう。ただし、AI研究の世界ではもっと次元の違う汎用性、たとえば知識を新たに自分でその場で獲得しながら使いこなしていけるような能力が期待されています。未知の事態にも、ある程度対応できるAI、汎用の学習能力をもったAIのことを、汎用人工知能AGI（Artificial General Intelligence）と呼ぶことが多いようです。

専用ＡＩ（個別、狭い）vs汎用ＡＩ（万能、広い）の違いをもう少し考えてみます。どんな画像中の物体の名前も言い当てる認識エンジンがあれば汎用的ですが、花はみな一律に「花」としか答えないかもしれません。草花の名前であれば何百種・何千種から判定できるような専用的な画像認識エンジンなら、小規模でも簡単に人間の能力を超えられます。しかし、そんな専用ＡＩをいくつも使い分けるのは大変なので、中間位の位置づけのＡＩが画像認識用には使いやすいかもしれません。クイズならあらゆるジャンルに通じているけれど商品や市場の「理解」はまったく覚束ない、などのＡＩはどこに位置づけられるでしょうか。

強いＡＩvs弱いＡＩの違いは具体的にどんな対比となるでしょうか。前者は、時に、欠点さえも人間そっくりにマネしようとする分、人懐こくお喋りするかもしれません。後者は本来計算機が得意だった高速大量のデータ解析をもくもくと行う、という意味では、『スター・ウォーズ』の２体のロボットにたとえるなら、前者がＣ３ＰＯ、後者がＲ２Ｄ２に近いものだ、といえそうです。

３つめの軸は、知識やデータの多いか少ないかの軸です。データが大量でなければ（うまく）動かないか、あるいは、知識やデータが少量であってもそれなりに確実に役立つか、という対比を表します。知識量は少ないのに賢い、高精度に対象を識別したり適切に判断したりできるＡＩもあれば、ビッグデータを投入することで本領を発揮するＡＩもあることでしょう。

ニューラルネットのような生データ・コンピューティング（end-to-end computing）は原則、大量データに依存するので前者に該当します。一方、第2次ＡＩブームのエキスパートシステム（専門家の知識を If-Then-Else の場合分けでプログラミングしたもの）や、人間がコンパクトに自分の常識の一断面をコーディングした概念体系などは、後者に属します。この軸についても、もちろん中間的な位置づけのＡＩがあってもよいです。しかし、どちらかというと、両者のタイプを組み合わせ、両方の良い所取りをした、ハイブリッドなシステムが今後期待されていくような気がします。

「シンギュラリティ」論への懐疑

上記3軸分類上のいくつかのポジションについて、どんなＡＩであるか、さらに考えてみます。

まず、「強いＡＩ」で「汎用的」で、「大規模知識・データ」を備えているＡＩなら、膨大な常識知識を人間と同等以上に大量に学習し、アレンジし創造的に使いこなせなければなりません。認知、理解、学習も全部できた上で、人間の指示がなくとも、何千種類もの専門家の知識を急速に自分で獲得して、全知全能のようにふるまうという機械となるでしょう。

このようなＡＩが、いつか質的にも人間の理解や発想の能力を超えて、超・知性として進化しはじめる特異点がある、と考えるのが先述のレイ・カーツワイルはじめとする「シンギュラリティ（２０４５年問題）」論者です。しかしながら、生物としての人間に本当にそっくりな強いＡＩであれば、自分自身を改造して進化させる、ということは行わないはずです。なぜなら、先述のように、定説となっているダーウィンの自然淘汰説によれば、生物は自分の意志で自分を進化させたりはしないからです（ダーウィンの進化論が絶対に正しいとは限りませんが）。稀に起こる突然変異によって大多数の変異個体は死滅してしまいますが、そのごく一部が新しい環境に適応し、旧種をしのぐ生存力を備えて生きながらえます。このような生物の進化の仕組みをそっくり真似た「強いＡＩ」ならば、生物同様に緩慢なプロセスで、偶然、進化していくものでしょう。

自然淘汰のように、「劣ったＡＩ個体」が削除、スクラップさせられる仕組みを人工的に作ったらどうでしょうか。何らかの原理で、実際に膨大な数のＡＩプログラム個体群の自然淘汰を引き起こせば、本当の意味でのＡＩの「進化」が起こるやもしれません。しかし、誕生から死に至るまでまったく人間の手を離れて自立できる「AIプログラム個体」を作れる目途が立ったとは寡聞にして知りません。このこともあって、筆者個人の意見としては、シンギュラリティには懐疑的です。

シンギュラリティ説の大きな根拠は、AI技術が指数関数的に発展するからというものでした。しかし、これまでの人類の技術開発の歴史では、指数関数的な発展はごくわずかな例外でした。LSIプリント基板の配線ルールを細かくすることで、「半導体の集積密度は18〜24ヵ月で倍増する」いわゆるムーアの法則が成立。これにより、ハードウェア（およびそれに乗って高性能化する応用システム）の性能が指数関数的に向上したのは事実です。

しかし、LSI配線の幅には分子のサイズという絶対的な限界があるし、それ以前に何か別の要因で進歩が止まってしまうかもしれません。逆に、新種の量子コンピュータ関連の技術ブレークスルーで、突如10倍の性能の製品ができてもおかしくない。これは断層的な進化であり、予定調和的に予測できるものではありません。

ソフトウェアについていえば、ソフトウェアがソフトウェアを一部自動生成する開発支援システムなどのおかげで、生産性の向上は確かにもたらされました。しかし、アイディアを出し、問題解決をする本質的な部分、考える仕事は人間によって担われています。そして、人間の理性的、論理的思考能力が指数関数的に発達することはまずあり得ません。ひとりの頭脳を超えた集合知の一形態として、アジア、欧州、米大陸で、8時間ずつ、シフトしながら24時間、研究が不断に進む可能性はあるでしょう。昔と違って、最新情報があっという間に全世界で共有できていますから。しかし、直前の成果を咀嚼するにも時間のかかる人間は、定数倍から、高々2次関数的な進化の速度でソフトウェアを進歩させるので精一杯と思われます。

AI冬の時代の成果が活かされた

第2次人工知能ブームの最盛期には、「自ら考えるコンピュータが10年以内に実現する」と毎年いわれていた記憶があります。AIの歴史を精査してみると、膨大な数の研究者、技術者が一斉にAIに取り組んでいた時期よりも、むしろ谷間の1970年代に、東京大学・甘利俊一教授がニューラルネットワークの数学的性質を解明するなど(参考:『神経回路網の数理』産業図書、1978年)、ブレークスルーを成し遂げていたという評価があります。騒ぎが大きかった時期には、手当たり次第に小さな実験は多数行われたものの、進歩はむしろ停滞していたと見られるふしがあったのです。

その後、いわゆるＡＩ冬の時代に、言葉の意味関係のネットワーク、「ワードネット」（WordNet）の地道な整備、応用がじっくり進められました。そして、ワードネットの名詞、すなわちモノの名前を使って、１３７０万枚の写真に何が写っているかを記した「イメージネット」（ImageNet）が、6年間で5万人が作業して構築されました。このような、ＡＩの冬の時代、谷の時代の成果が２０１０年代以降の第３次ＡＩブームをもたらしたことを忘れてはなりません。

画像認識の分野では、20年の停滞から突如復活したニューラルネットワークが、ディープラーニングという新呼称とともに、断層的な技術革新をもたらしました。雌伏の時代のわずかな数の研究者たちは、後に先駆者として、情報技術のノーベル賞といわれるチューリング賞を受賞し、高く評価されました。その彼らとて、ディープラーニングがまだまだ人間の柔軟な学習能力に及ばないことを認めています。とはいえ、いつブレークスルーが起こるかは予測不能であり、将来のことを断定的に述べることは困難です。同様に、技術が、指数関数的に一様に、単調に進化するとの言説は科学的根拠を欠く、あまりに乱暴な主張といわざるを得ないでしょう。

１９９４年に、ＡＩの父、マービン・ミンスキー博士は、ＭＩＴ（マサチューセッツ工科大学）人工知能研究所（ＡＩラボ）にて「こんな（強い）ＡＩを自分は作りたい」と筆者に向かって言いました。

「勤労意欲が湧かない日は、1日ぼーっとテレビでフットボールの試合を眺め、時々欠伸をしながら大人しくしている。そして少し寝た後で、『よし、創作意欲が復活してきたぞ！』と感じて、再び自発的に仕事に戻る」

J・S・バッハのオルガン曲を即興でアレンジして、気の向くまま、心が落ち着くまで何時間も演奏する。こんなことをミンスキー博士自身がやっていました。AI研究者たるもの、死ぬ前に自分の手で自分のコピーを残したいという思いにかられるのはよく理解できます。ミンスキー博士が作りたかった強いAIならば、創作意欲が復活するまで、バッハの演奏を続けて、他人の発言に耳を貸さない、というようなこともできなければいけません。ふつうの人のコピーならば、もっと人間臭い欲望にかられ、馬鹿な行動もしたりしてみようとするものでしょう。

各社のAIブランドは「専用AI」の集合体

次に、今度は前記AIの3軸分類上の具体例として、IBM社の「ワトソン」コンピュータがどんな種類のAIであるか考えてみましょう。まず、人間のクイズ王を凌駕するほどの大量知識を備えていることには誰も異論はないでしょう。次に、その構造や「理解の仕方」がどうかというと、たしかに様々なジャンル（文学、歴史、地理、物理、化学、生物、地学、数学、音楽、映画、などなど）に通じていて、汎用的であるかのようには見えます。しかし、各専門知識を、その専門にある程度合わせた構造でもつ場合もあり（数式や年号など）、専門ごとに追加的に知識を獲得する方法（アルゴリズム）も微妙に違うようです。そこで、それらを足し合わせた仕組みということで、専用AIの集合体と位置付けるほうが適切でしょう。富士通のZinrai、NECのthe Wise、日立の人工知能Hもしかりです。

一方、様々なジャンルの知識が日本語のような自然言語で記述されている場合、同様に言語の構造を活かしたAIの仕組みはある意味、汎用的といえます。主語と述語「○○がどうした」、目的語と述語「○○をどうする」のパターンが似ているという基準で解答候補をランキングしている仕組みが共通しているからです。もちろん、その分野の専門知識、たとえば物理法則や法律の各々深い理解などを、その分野特有の、固有の形式と内容で備えているわけではありません。ですので、本当の理解とは違うといえます。特定の2つの単語が同じ文の主語と述語の組として出現しやすいというだけでは、文の意味する化学結合や、物理の法則をＡＩが「理解している」とは到底言えないわけですから。この意味で、検索エンジンのランキングや、ＥＣサイトのレコメンデーション・エンジンに近いものがあるといえるわけです。汎用的な仕組みだから優れているというわけではありません。ワトソンについては、ＩＢＭ社自身が当初言っていたように、処理方式の主要部はＡＩではない、という評価が妥当かもしれません。

クイズの問題と前例のない問題

ある言葉、フレーズを聞いてぱっと浮かんだ、連想された順番にランキングして示す。これと似た方法は、丸暗記で試験勉強した学生、生徒も行っているのではないでしょうか。試験問題を解くときに問題文を本当に理解しないまま、傍線の近くにある語句で埋めてしのぐ、などの方法です。

クイズで好成績を収めるのに、本当に理解して回答するのと丸暗記するのとではどちらが有利でしょうか。筆者が高校生のときにテレビのクイズ番組に出たときのことを思い出してみます。1979年の春、フジテレビのクイズ番組『クイズグランプリ』で準優勝してハワイ旅行を獲得しました。当時は筑波大学附属駒場高校2年生で、音楽部長を務めるかたわら、籍だけ置いていたクイズ同好会の仲間に出演を促され、一夜漬けの猛勉強をしました。当時出版されていたクイズグランプリの過去問Q&Aブック10冊を仲間に借りて、「芸能・音楽」「文学・歴史」などジャンルごとに読み込み、丸暗記するなど、ほかの2名の仲間に迷惑をかけまいと努力しました。

その甲斐あってか筆記試験、予選、準決勝を順調に突破し、神奈川県立光陵高校との一騎打ちの決勝戦に出場。ひとつの問題を正解して選択権を得て、「科学の100!」と叫ぶと、こんな問題がアナウンスされました。

「原子や分子の量の単位で、アボガドロ数に等しい原子または分子の集団を基準とするのは」

早押しに勝って「モル（mol）！」と正解するシーンが流れました。このシーンは、

11年間の番組の歴史で延べ10万問のQ＆Aの中から唯ひとつだけ選ばれ、フジテレビ開局50周年記念番組で放映されました。開局50周年記念DVDにも収録され、いまでも見ることができます。

このときの対戦相手で、優勝した神奈川県立光陵高校のエース、道蔦さんの顔は今でも忘れられません。彼はその後、アメリカ横断ウルトラクイズなど、いくつものスペシャルクイズ番組で優勝し、まさに日本のケン・ジェニングスといっていいクイズ王となりました。ニフティサーブのフォーラム「FQuiz」のシスオペとなって出題する側に回り、毎日のようにクイズを作るようになって、「回答するより、（良い）問題を作るほうがよほど大変だ」という名言を残しました。これは、問題を解くプログラムを作るよりも、面白くて魅力的な出題文を作るほうがコンピュータにとっても難しい、ということを示唆しています。

ＩＢＭのワトソンは、クイズ番組のルールや出題ジャンルを把握し、膨大なパターンを覚え込ませることで、正解確率を上げていきました。上述のように、実は人間もクイズ番組に出場する前に似たようなことをしています（少なくとも私はそうでした！）。しかし、われわれ人間が子供時代から身につけた日常世界についての本物の知識をもとにした深い理解を経て回答しなければならない問題は、ワトソンは苦手です。ＩＢＭ社によるＦＡＱには、次のように書かれていました。

「質問：ワトソンが苦戦した問題や出題形式の一例を教えてください。
回答：たとえば、『立っている状態で羽目板を見るためにはこの方向を見なければなりません』など、それについて書かれた文献が存在しない、日常的な情景を思い浮かべてその解釈を要求されるような問題には苦戦を強いられました」

クイズだけでは、本格的なビジネス上の課題の解決につながるか心もとない、と思われる方もいるでしょう。そこでたとえば大学入試で、本当に頭を使って新解法をその場で考え出さないと解けない素晴らしい名出題の例をひとつ挙げてみます。筆者自身が１９８０年春に東京大学理科Ｉ類を受験したときの２次試験・物理の問題です。出題の骨子は、「白熱電球を点けた電気スタンドの電源ケーブルを壁のコンセントからいきなり抜いたとき、瞬時に（ゼロ秒で）真っ暗にはならず少し時間をかけて光が減衰する。この減衰の曲線を方程式で表し、なぜそうなるかを証明せよ」というものでした。

題材があまりに身近なもののため、おそらく当時どの文献にもそのものずばりの回答は存在せず、出題者はこの問題を思いついて小躍りしたのではないかと想像します。近い内容の説明文章があったとしても、上記とは異なる学問的な用語、言い回しで書かれていたことでしょう。さらに、それを理解するにも、ピラミッドのように多数の事実とその根拠、原理（宇宙の法則）を一つひとつ積み上げて理解し、法則と法則の間の整合性もはかりつつ、推論する必要があります。出題文中に数式も存在せず、方程式を解くだけの数学の問題よりはるかに難しい。まず、人間なら、実体験を思い出し、だんだん暗くなる変化が正弦曲線（sine カーブ）になるという閃きを得ることができます。そして、これも出題文中に存在しない様々な物理法則や数学公式をちゃんと理解した上で、証明を書く必要があります。

この問題を解く、すなわち、知らなかったことについて、前例のない、まったく初めて遭遇する事態を切り抜けようとする人間のように創造的に解ける人工知能を作れるでしょうか？　実世界の身体性、何かを叩いたらその物体の性質に応じた反作用で手が痛くなる、などから日常の物理現象を学んでいる哺乳類の乳幼児のように学べる人工知能搭載ロボットの出現にはまだまだ時間がかかりそうです。

もっとも、前記物理の問題のように、物理・化学を本当に理解して回答する代わりに、人間でもワトソンのような機械でも丸暗記で正解することができます。先の例でいえば、多くの文献で「アボガドロ数」と「モル」の2単語は、同じ文の中で関係づけられて出てくる特徴的なキーワードなので、強い相関、統計的有意性があるからです。解答の候補リストさえ出してくれればよいという用途ならこれで十分有用であり、そのような用途は広く、たくさんあるような気がします。

「弱いAI」としてのロボット掃除機

別のタイプのAIとして、一見、知的ではないように見えるロボット掃除機があります。その先駆けの「ルンバ」はMITの人工知能研究所所長を務めたロボット工学の権威、ロッド・ブルックス博士の基本設計によるものです。センサーが察知して単純に障害物を避けるだけでなく、部屋の形状や家具の配置の地図を「頭の中」に作成し、無駄の少ない移動法を「考え」、かつ二度と同じところを通過せずに効率よく掃除します。人間でも同じところを、（念入りに掃除するのでなく）間違えて何度か掃いてしまうことがあるのに比べて、賢いかもしれません。また、充電器の位置を自分で探して充電されに行くなど、人間いらずの〝自動性〟が高まっているといえます。

とはいえ、あくまで道具であり、「弱いAI」に該当します。

部屋の地図、モデルを作成してしまうあたり、汎用的に応用できそうな内部処理は行っていますが、それでも、掃除という作業、タスクには変わりありません。専門的AIです。部屋の掃除に頭を使う余地は大いにあるとは思いますが、掃除のことを「人間の知的労働」と称する人はまずいないでしょう。活用する知識量は今後とも増えるのかもしれません。その際の知識量の計り方もよく分かりませんが、百科事典の数百万項目やウェブ上の知識情報に比肩できる水準ではないでしょう。ですから、小規模知識・データに該当するといえます。

余談ながら、お掃除ロボットの普及は、「こんなに考えて動いてくれるなら自動車の自動運転も任せてよいのではないか?」などの発想につながります。一般消費者がAIに慣れ、肯定的になるのにも大いに貢献しているのではないでしょうか。

アシストする臓器が「人間の脳」という事例も近い将来出てくるように見聞します。分かりやすく具体的に描いた例として、先述の米国の近未来SFテレビドラマ“Intelligence”の主人公ガブリエルの脳に埋め込まれたチップでネットに接続し、膨大な情報を自在に引き出して、「サイバー・レンダリング」と呼ばれる機能で脳内に3Dイメージを再構成。それを通常の脳機能で〝眺めて〟、何かを解釈、発見する。仮にこのようなことが実現したとしましょう。これは、「弱いAI」であり、超「大規模知識・データを活用」したものです。脳がインターネットに直結し、汎用の仕組みで脳の能力を拡大するわけですので「汎用（の弱い）ＡＩ」と言ってもよいのではないでしょうか。

研究者によって異なるAIの定義

ＡＩの定義は、ＡＩ研究者の間で異なっています。神経認知科学など、周辺領域からも研究者ごとに様々に異なる見方がされていることでしょう。ロボティクスの専門家、大阪大学大学院・浅田稔教授に至っては、「知能が明確に定義できていないのに、その人造版＝人工知能が定義できるわけがない」と大変はっきり言いきっています。

ヒト（生物種としての人間はこう書いたほうが適切な感じがします）の振る舞いと区別がつかない、という「強いＡＩ」らしい定義があります。この定義は、チューリングテストに端を発しているかもしれません。情報科学分野のノーベル賞といわれるチューリング賞の由来となった天才アラン・チューリングの提唱によるテストです。チューリングは、ある計算手順（アルゴリズム）が停止（完了）するかどうかを証明する数学的、記号論理学的な仕掛け、「チューリング機械」を考案して現代の情報科学の基礎を作りました。彼の１９５０年の論文、“Computing Machinery and

Intelligence"（計算する機械と知性）の中に、チューリングテストについて次のように書かれています。

「人間の判定者が、ひとりの（別の）人間と一台の機械に対して通常の言語での会話を行う。このとき人間も機械も人間らしく見えるように対応するのである。これらの参加者はそれぞれ隔離されている。判定者は、機械の言葉を音声に変換する能力に左右されることなく、その知性を判定すべく、会話はキーボードとディスプレイのみといった、文字のみでの交信に制限しておく。判定者が、機械と人間との確実な区別ができなかった場合、この機械はテストに合格したことになる」

筆者は、もともと何百、何千種類のＡＩがある、それぞれ定義すればよい、という考え方です。後続のページでは、前記3軸の分類以外に、一般の方が直感的に「賢い」と感じる機能を紹介しています。賢さを感じさせる原因は、もともと機械が得意な高速計算や大容量メモリのせいなのか、ビッグデータ解析などに支えられたものか。あるいは、人間が設計せずともコンピュータが何らかの特徴や法則を勝手に学習したものなのか、など、別の視点で分類、定義してまいります。

今のAIのルーツ

技術面で今回のAIブームのきっかけとなったのが、先述のディープラーニングです。2012年頃に、画像認識（写真に写っている被写体の名前を当てる課題）で、カナダのトロント大学が、ディープラーニング（Deep Learning：深層学習）と呼ばれる方式で突如従来比10％近く精度を向上させ、世界中に衝撃が走りました。他の方式を寄せつけない高成績でしたが、先述のようにディープラーニングは突然現れた新発明というわけではありません。

ディープラーニングのルーツは、1943年の形式ニューロン、第1次AIブームでもてはやされた「パーセプトロン」（1958年にマカロック&ピッツが発明）にあります。パーセプトロンは、人間がモデルを与えずとも入出力を学習できる利点を秘めていたことから一大研究ブームとなりました。しかし、1969年にAIの父マービン・ミンスキー博士（MIT）によって基本的な演算（具体的にはXOR［eXclusive OR］排他的論理和）すらできないことが証明され、ブームは沈静化しました。1980年代以降の第2次AIブームは従来型の記号処理を発展させて推論能力をもたせようとした論理プログラミングで始まりました。約1500億円かけた第5世代コンピュータ開発プロジェクトも、論理を表現する並列推論マシンの開発を柱としていました。

第2次AIブームで実用規模の問題を解こうとして、たとえば機械翻訳の文法規則などを考えて、数千のルールを作成したりするのが非常に困難で、コストがかかることが分かってきました。手動で作った知識の間には矛盾も生じがちです。仮に作成できても、なかなか精度やカバレージ（適用範囲）が向上しません。だから、人手でモデルを作って規則や計算式をプログラミングする代わりに、入力と出力の組み合わせ（たとえば画像とそのタイトル）を次々と与えていくだけで自動的に学習が進むのは魅力的です。その可能性を求めてニューロン系の仕組みが再び注目されはじめました。そして、パーセプトロンの欠点を克服するためにニューロンの中間層（隠れ層）を1層導入した「3層ニューラルネット」が誕生しました。

その特質がよく分からない部分を残しながら方式の改良、様々な学習（トレーニング）実験が進み、一時、産業界でも有名になりました。「ニューラルネットワーク」という名称よりも、すぐに使えるハードウェアを想起させる「ニューロコンピュータ」という呼称が無意識に好感された時期もありました。一時期は「ニューロコンピュータを搭載しているから」を略して、「ニューロだからよく汚れが落ちる洗濯機！」というテレビコマーシャルまで登場したのをご記憶の方もいらっしゃると思います。しかしながら、現在より何桁も遅かった当時の計算機パワーでは、高々数百個のニューロンを用意しただけで、加速度的以上に遅くなる学習速度がネックになって、評価実験も実用化も頓挫しました。

現状のAIは、後に第5章で示すように、専門画像認識タスクなどで人間の能力を超えています。とはいえ、子供や乳幼児のように学習したり概念を操ったり、膨大な常識をもとに言語を本当に理解したりするにはまだ時間がかかりそうです。ですが、これらに近づくための研究も始まっています。

今のAIは人間の能力を補完できる部分が多くなった

今日のAIは、「視て（それが何かを）理解する」「聴いて（それが何かを）理解する」など、従来は人間が100％担ってきた業務の一部を担えるようになりつつあります。それも、きめ細かく、膨大な種類、量に及ぶと考えられます。これは画期的なことです。

図表1-2　物体認識の精度向上の歩み

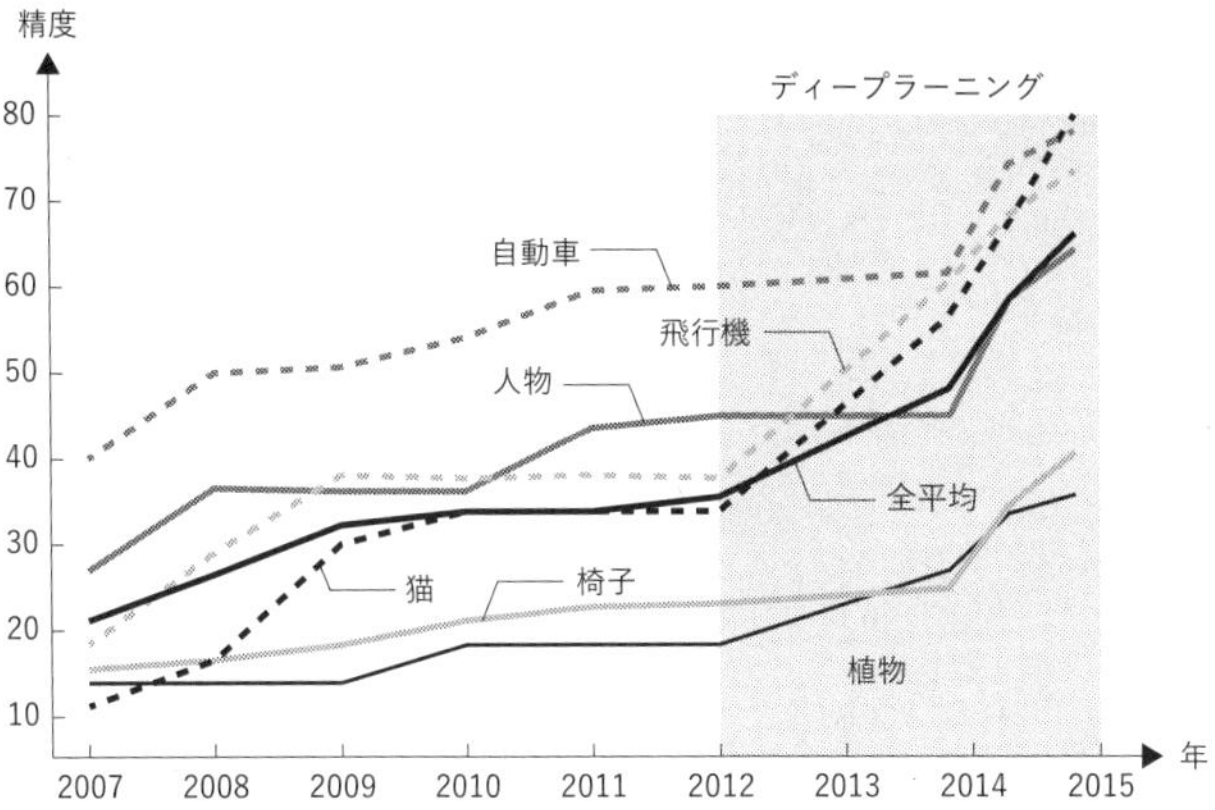

縦軸：精度、横軸：年　図の右上の文字：ディープラーニング
（出所）Roelof Pieters, "Guest Lecture at DD2476 Search Engines and Information Retrieval Systems," 28 April 2015.

図表1－2は、画像中の物体認識という課題で、コンピュータが実現した精度の向上の歴史を表したものです。植物、人物、椅子、猫、自動車、飛行機、その全平均（太線）を眺めると、2007年以前は、いちばん研究開発投資が行われてきた自動車の認識でも40％、そして全平均は約20％と、到底実用にならない精度だったことが分かります。

次に、2008年から2012年の間は、人間が個別に物体の特徴表現を考えて徐々に改善して、自動車が60％、全平均で35％まで精度が上がっています。この間、フラットで停滞している飛行機や猫は、ほとんどど研究開発投資が行われなかったのでしょう。精度が30％台では、工夫を重ねても応用用途、ビジネスモデルを見つけようがなかったためと思われます。

そして、第3次AIブームに火が点いた運命の2012年、ディープラーニングが表舞台に登場します。特に飛行機と猫について、わずか2年で60％程度まで、うなぎ登りに精度が向上します。この間、従来手法に投資してしまったことへの未練からか、ニーズの大きい自動車認識、人物認識の精度向上は停滞します。2013年の実験を経て2014年までに従来手法を損切りした（過去の研究開発投資で得られた成果物を捨てた）のでしょうか。遅れじ、とばかり、自動車、人物の認識精度が、その直前2年間の飛行機や猫以上の急角度で改善しました。もっと低い精度に甘んじていた植物や椅子は、グラフの中では最も「お金の匂いがしない」せいか、2008年から2014年まで、わずかな、なだらかな精度向上でした。それが2014年以降、他の物体、人物と同様の急角度で精度が向上したのは、急にニーズ、応用展望が開けたから、とは思えません。2015年初めの時点でも40％程度の精度だからです。

後述のようにディープラーニングは、同じ仕組み（ソフトウェア）を用い、対象を取り替えて、正解データを作り、トレーニングするだけで、精度を向上させることができます。だから、もののついでに、つまり、あまりお金をかけずに、違った形、色合いのものでもディープラーニングが十分精度向上が果たせることを確認したのではないか、と読み取れます。

産業上のニーズに応えられるＡＩの発達

非人間的な仕事をＡＩがこなす

今後、ＡＩが着実に普及、浸透していくと思われるもうひとつの大きな要因は、ニーズや環境、インフラの側にあります。かつて、『資本論』の著者カール・マルクスが「労働の疎外」と表現したような、不毛で非人間的な仕事、作業は、至るところに存在しています。単純な封筒作り、袋詰め作業などが、機械にやらせるよりも安価で確実ならば、希望者がいる限り人間にやらせることになるからです。

より高度な問題解決、たとえば、犯人を捜索し追う刑事が24時間、疑わしいマンションのドアが開かないかと見張る作業を考えてみましょう。「何々するためには何々しなければいけなくて、その何々をするためには……」と、ピラミッド状に構築された複合業務の一部にも単純作業が混ざっています。これらの単純作業を正確にタイムリーにこなすのに、下手に下請けを雇って引き継ぎに失敗するより本人がやったほうが、成功確率がずっと高そうです。そう割り切って行う監視業務なので、不毛とは言いきれません。実際、管理職の人もかなりの量の様々な単純作業を見つけてこなしていることでしょう。しかし、いくら気働きで頑張ろうとしても、人は寝なければならないし、食事、休息、気分転換も必要です。刑事の現場監視の例では、一瞬目をそらして犯人が出ていくのを見逃すことも許されません。この部分だけでも、視力を獲得したＡＩに置き換えるのがベストといえるのではないでしょうか？

このように、対象を視覚的に認識し、必要なアラート（警戒メッセージ）を出す作業を、作業フローから取り出し、いったん解体（unbundle）する必要があります。ここに、ＡＩを投入すれば、人に徹夜させないで済む、など、時給には換算しきれない価値が生まれます。

異常監視系の応用用途では、１９８０年代から米国コグネックス（Cognex）社などのビデオセンサーが、錠剤などの工業製品の形状の検査に使われ、有用性を証明してきました。これがディープラーニングによって、より広範に、高精度で、安くできるようになっていきます。また、ＩｏＴ（Internet of Things：モノのインターネット）のおかげで、末端の素子、装置の処理能力は低くとも、中間位置のスマートデバイスやインターネット上のサーバー上に高度なＡＩ処理を搭載し、連携できるようになりました。

5Gではエッジサーバーという、クラウドより手前の、現場に近いところから迅速にデータを解析、加工した結果を返すようになります。このように、いつでも、どこでも、ＡＩ機能が使えるようになる環境、ネットワークインフラが整いつつあります。この点も、第3次ＡＩブームがブームで終わらず、社会に浸透する「本物」に育つことを示唆しています。

ＡＩがカバレッジと精度で人間を補完する

今日のＡＩは道具すなわち「弱いＡＩ」ですが、個々の専門課題については、容易にヒトの能力を超えられるようになりました。筆者らが２０１５年夏に、企画からリリースまで10日間ほどで開発した「この猫なに猫？」というディープラーニングシステムはその証拠のひとつです（第5章で解説）。日本にいる猫のほとんどを95％以上の確率で正しく猫種判定できます。67種類もの猫種の特徴を正確に知っている人間がほとんどいないため、ほとんどの人間に勝利してしまいます。あたかも、サヴァン症候群の人が、好きな専門図鑑をじーっと数時間眺めたら、一般人がまったく歯が立たない精度で、見たものが、その中の何であるかを識別できるように、ディープラーニングは進化しました。

人間の弱点に、短期記憶容量の小ささ、同時に思い浮かべられるイメージの数の少なさがあります。「人間の認知能力や記憶力（特に短期の丸暗記）、同時に物事を想起する能力の限界は意外なほど小さい」ということであります。

筆者がＭＩＴのＡＩラボに所員としてお世話になる2年ほど前、プリンストン大学に近い、フィラデルフィアのペンシルベニア大学で、認知心理学の開祖、ジョージ・Ａ・ミラー博士に初めてお会いしました。彼がワードネット（WordNet）という大量の英単語の意味ネットワークを発表する現場に立ち会ったのです。ミラー博士は、「魔法の数字7（＋－）2」という不思議な名前の論文で認知心理学の緒を開きました。この題名に込められた数字は、まったくランダムな文字列や数字列、単語列を人間が丸暗記できる限界を表します。

たとえば、NECIBMSONYという10文字を1秒だけ見せられて、「毎回確実に覚えられ、10秒後に、それを諳んじて言える人、書ける人が１００人中何人いるでしょうか？」「ほぼゼロ」という実験結果を示したのが上記論文です。しかし、これがもしも、NEC IBM SONYと、分けて書かれていたらどうでしょう。これなら、１００人中99人の人が1秒で覚えられ、再現できることでしょう。これはチャンキング

(chunking）効果と呼ばれます。ほぼ瞬時に認識できる3、4文字の単語に分割され、その単語数が3語となって、上限値7（＋－）2をいずれも下回っています。各単語の文字数も7（＋－）2を下回っています。仮に、これらが、未知の単語であっても、なんとか短期記憶容量に収まって、無意味なものでも即丸暗記できる可能性が高いことになります。

人間には瞬時の丸暗記が苦手というだけではなく、数週間、数ヵ月のトレーニングで、学んだはずの数千の素材を、その一部しか思い出せない、という事例もあります。あるカラオケ事業会社で、30秒から数分間の映像素材を1万本近く製作しました。新曲の歌詞の進行に合わせて、投影されるべき背景映像を数千本から選んで編集するシステムを複数の人間の担当者に長期間使ってもらった結果が重大な問題を露呈させました。十分トレーニングを積んで、誠意をもって真剣に作業した彼らの大半は、全体の1割程度、わずか数百の映像バリエーションの中からしか選ばなかったというのです。歌詞や楽曲の雰囲気を適切に反映した背景映像のチョイスであったかどうか、結果の良し悪しを客観的に評価する手法が確立されていなかったことで、この事態の判明が遅れました。

副作用としては、単に映像素材の制作費用を無駄にしたというだけではありません。不適切な映像素材がかなりの比率（数割）で選ばれ、お客さんに不愉快な思いをさせることがあることも分かりました。たとえば、某四条河原町のカラオケ屋さんで筆者の友人Y氏が「シクラメンのかほり」をリクエストしたところ、むくつけき男性漁師が何人も褌姿で漁港で水揚げをするシーンが流れ、すっかり興醒めだったという極端な例もあります。

人間の記憶や学習、推論、その動機付けの仕組みなどはまだまだ未解明なところが多いわけですが、素晴らしい精妙な仕組みであることは確かです。だからといって、ヒトの能力が産業上の要請にいつでも十分応えられるわけではないことは、上記の背景映像を選ぶタスクで不十分な成果しか出せなかった事実ひとつからも明らかです。ここを、広大な丸暗記能力をもともともっていたコンピュータ、疲れを知らずに、むらなく毎回一様に判定できる「弱いＡＩ」で補ってはいかがでしょうか？

先のカラオケ背景映像チョイスの事例では、編集担当者に各自バラバラに作業させるのではなく、結果を互いに見せ合って、選択基準を摺り合わせることになるでしょう。ディープラーニングで歌詞の内容と背景画像の認識結果を対比させて類似度・関連度をランキングさせつつ、なるべく未使用の映像素材から選ばせて新たな正解データを増やしてやります。こうすることで、今後は、ディープラーニングが（「魔法の数字7（＋－）2」の制約などまったく受けないので）、数千以上の多数の候補の中から適合度の数値付きで、候補映像をレコメンド、表示してくれるようになります。

人間は、人間の得意な新たな判定により機械向けのトレーニングデータという副産物を作りつつ本業をこなし、機械は人間たちの判断に対して、広さ（カバレージ）と精度を補完する。これが人間と機械の役割分担の基本戦略としてよさそうです。このような戦略をもつことで、速い（早い）、安い、旨い（高精度）、の評価尺度で、確実に有用となるように、効果的にAIを活用できる見通しが立ってきました。

ここが、第3次AIブームが、産業、ビジネスにとって本物、そして、単なるブームで終わらない、と主張してよい、最大のポイントかもしれません。ここには、当面のAIに対する過剰な期待も、それを恐れる恐怖感もありません。今日のAIは、過去のブームと違って、本当に低コストで実用になりはじめた、ちょっと気の利いた道具。それを、費用対効果が高いように、また人間を不当に辛い仕事から解放できるように使いこなすのが賢く、正しいと思います。

ビッグデータがAIを必要としてきた背景、理由

第3次AIブームが力強く「離陸」していくだろうと予想できるもうひとつの根拠は、ニーズ、環境、なかでも特に重要な、いわゆるビッグデータにあります。今回のAIブームがブームで終わらず、堅実に成長し社会に浸透していくのでは、と思える重要な鍵がビッグデータです。

ビッグデータが促すAIへの期待

なぜ、人工知能（AI）に関心と期待が集まったのでしょうか？　第2次ブームから20年以上が経過し、第3次ブームの時点では、計算機の速度や、扱えるデータ量などの能力が数千倍、数万倍も増大していました。このことももちろん影響しています。ハードウェアの技術進歩により、前回ブーム以前は計算量がネックとなって実用的な規模、性能を達成できなかったニューラルネットという仕組みを進化（深化）させることができました。その結果、他方式を圧倒する精度で画像認識ができたなど、ブレークスルーが成し遂げられたという経緯があります。

しかし、全体としては「必要は発明の母」、ニーズの高まりが技術開発を促した側面が大きいように感じます。大きなきっかけはやはり、ビジネス現場がビッグデータ活用に取り組む必要に駆られたことでしょう。大量データの収集とその〝お掃除〟（data cleaning/cleansing）、データの形式や網羅性の追求、整備が進んだけれど、まだそれをあまり活かせていない。活かすためには、人手でも、何らかの道具を使って分析ができればよいのですが、本当にビッグなデータなので、やはり全部は到底見きれない。目視できた範囲だけでは、経営戦略を左右する「何かを発見しろ！」「アイディアを出せ」といわれても何も出てきません。

車載カメラなどの各種センサーやソーシャルメディアへの書き込み、自動編集・再投稿（シェア）などの隆盛により、10年で2桁ほどネット上の情報量が増す傾向は、止まる気配がありません。IDCデジタル・ユニバース・スタディ（Digital Universe Study）の2018年の予測によれば、2016年時点での9年後、2025年に世界で生産されるデジタルデータの情報量は約10倍の163ZBとされています。ZB＝ゼタバイトとはTB＝テラバイトの10億倍の情報量です。163ZBを格納するには、4TBのハードディスクがおよそ41億台必要です。

実績ベースでは、総務省の「平成18年度情報流通センサス」によれば、個人の「選択可能情報量」は、1996年から2006年までの10年間で約530倍になっています(https://www.soumu.go.jp/johotsusintokei/linkdata/ic_sensasu_h18.pdf p.24中段の表より cf. 消費情報量は約33倍)。

膨大なデジタル情報の処理を支える半導体の密度は、今後も1年半で2倍という「べき乗の法則」、指数関数的な増大が続くでしょうか。本書の単行本版を執筆していた2016年前半の段階では、7nm幅の技術が確立した段階でしたが、その後、波長の非常に短いEUV(極端紫外線)リソグラフィの出現により、2020年に早5nm幅が出現。2020年代前半に3nm、さらに2026年頃に2nmとなることが見えています。

この微細化の効果は、これまでは、トランジスタ数の増加に2乗で効いてきました。今後は、半導体自体の3次元化により、2乗以上に高密度化も見込めるようですが、経済性では、トランジスタ数あたりのコストは横ばいか上昇する傾向といいます。このためもあってか、AI応用に特化することでコストダウン、高速化がはかられており、今後も安価で高性能な学習用ハードウェアの出現が期待されます。

最近の傾向として、タイムスタンプや位置情報などのメタデータ(5W1H)とともに、現場でビッグデータをどんどん発生させてクラウドに送り、すべてを保存するというものがあります。たとえば、iBeaconと呼ばれるスマートフォン（スマフォ）などと連携する器具を現場に置いて、通行人の反応を捕捉する。また、ビール・サーバーからお客さんのグラスにビールを注ぐチューブの途中に一滴単位で消費量を測って刻々とクラウド上のサーバーに送る。このようなIoTの動向も要注目です。従来、「情報爆発」をネガティブなこと、回避すべきこと、というニュアンスで捉えていたのが方向転換した感があります。すなわち、扱いやすい形、メタデータ付きで構造化された形でどんどんビッグデータを生成すべし、という流れが出てきたのです。

「認識」「理解」「解釈」「推論」の一部をAIが代行

一方、従来から収集・蓄積はなされていたけれど分析しやすい構造になっていなかったり、不完全な状態だったりするデータもあります。そもそも解析しにくい画像やテキストなどの不定形の生データも引き続き大量に存在し、発生しています。

図表1－3に示した、ビッグデータ活用の全体プロセスの上流「データの発生」の時点でノイズなどの不備があったり、「収集」の段階で網羅不足やノイズの混入にみまわれることもあります。利活用といっても、中流の「加工・整形」からせいぜい簡単な検索ができる程度の「処理・蓄積」に差しかかったくらいまでしかできていない。

図表 1-3　ビッグデータの活用の上流から下流まで

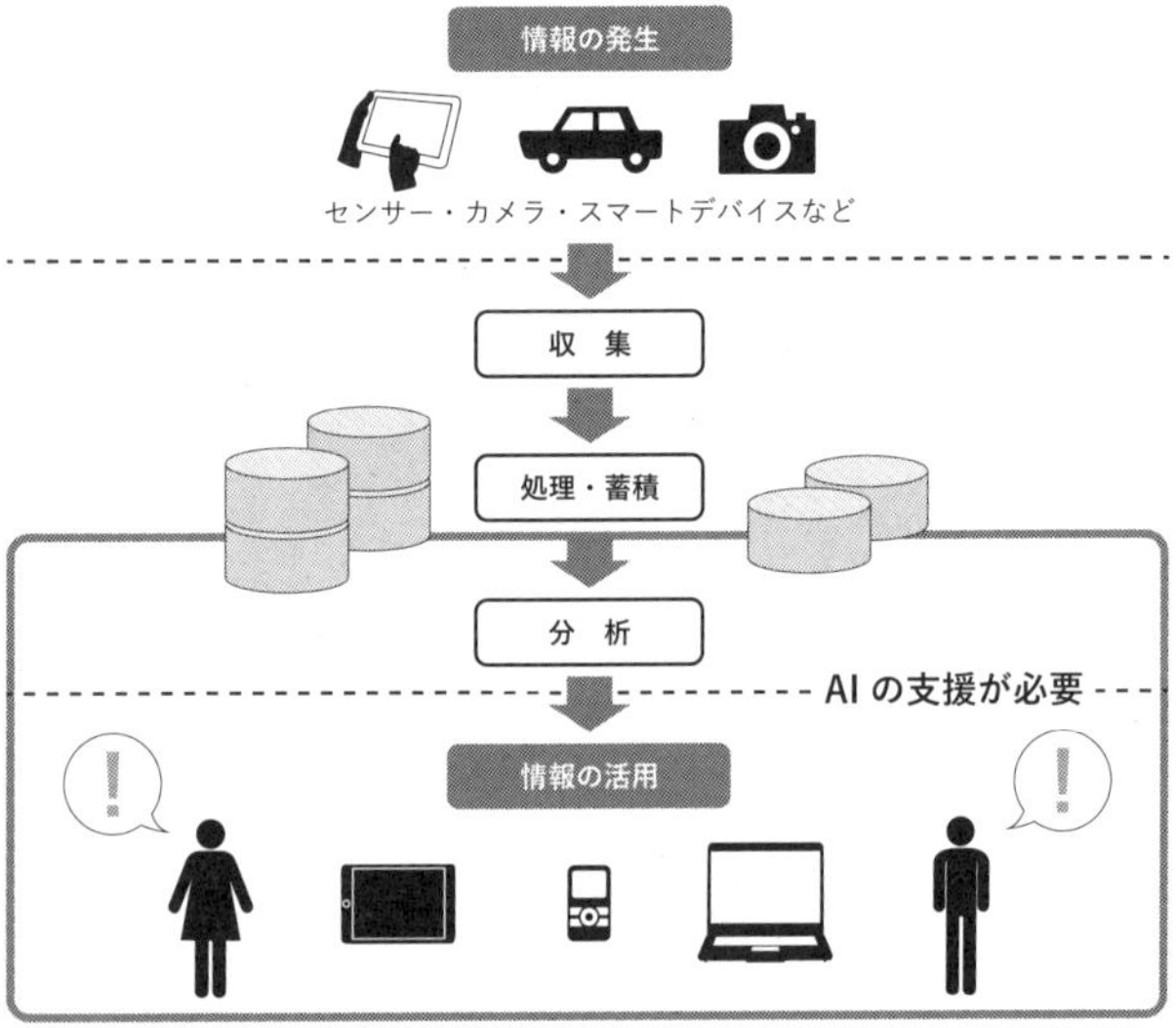

（出所）筆者作成

そのような現場は２０２０年時点でもまだまだ多いのではないでしょうか。中流後半の「分析」、それを踏まえて最終的には事業性評価、経営判断にいたる「活用」の局面でつかえてしまい、前へ進めないのはなぜか？

やはり、ここでどうしても必要となる膨大な知的作業を担う人材の不足、工数の不足が大きな原因だったのではないでしょうか。それだけではありません。画像中に何がどう映っているか、また、テキスト（文章）で何がどれだけ、どのように記述、描写されているか知りたいでしょう。たとえば、顧客の声(VoC：Voice of Customers)のうち否定的なものが何パーセントあり、絶賛する少数意見（ポジティブ度が標準値を超えて最高ランクのものは多くの場合0・1％以下です）から顧客忠実度を改善するヒントを得られるかどうか。そして、0・1％以下の重要な少数データだけを読みたい。また、数十万件のVoCから、非常にネガティブ、ネガティブ、ややネガティブ、の各VoCが先月、前年同月と比べどう変化したか、データが得られたら即日評価し、統計処理してグラフを描き、役員会に提出したい——。このようにビッグデータを毎日分析して洞察を得る課題は、到底人手だけでこなせるものではありません。

従来、もっぱら人間にしかできないと思われていた、画像やテキストに対する「認識」「理解」「解釈」「推論」などを、一部機械に代行させせなければならなくなってきた、といえそうです。

「認識」「理解」「解釈」「推論」などは、まさに半世紀以上前から「人工知能（ＡＩ：Artificial Intelligence)」と呼ばれ、期待されてきたコンピュータ・ソフトウェアの応用領域です。ここで「」括弧付きで表記しているのは、人間による「理解」や「推論」とは似て非なるものを指しているためです。

分析に必要な人手が足りず、早期の養成も困難な中、高度な分析力、ノウハウが現場に足りないのを補うにはどうしたらいいでしょうか。分析の専門知識を備えたタイプのＡＩや、規則性を見つけるための大量の計算処理をこなせるＡＩを開発し現場に供給すればよいでしょう。現場のテキストや画像データから何が判明するか分からないことも多いでしょう。そんなとき、柔軟に（従来は人間にしかできなかったような柔軟さで）、何か「発見」するために、「認識」「理解」「解釈」「推論」などがある程度遂行できるＡＩが欲しくなるのではないでしょうか。図中、太枠で括ったように、ビッグデータ活用、事実データに基づく業務改善や経営判断のトータル・プロセスが機能するためには、ＡＩの支援が有用、有効となります。

ビッグデータのブームが一段落したらやはり、人間技では対応できない解析、分析がネックになった。だから、もともとコンピュータが得意だった高速、大量の数値計算やデータ貯蔵・検索に加え、人工知能的な分析支援能力への潜在的な期待が高まった。この期待に応えるソリューションも出てきたことで、必然的に様々なメディアでも取り上げられるようになった、と考えていいのではないでしょうか。

二十数年前の数千倍以上の計算パワーが安価に使え、廉価な（特に無料の）ストレージ・サービス、計算機能もウェブ上でいつでも手に入ります。ネットワークは大容量化（高速化）し、安価になって、無線を中心とした常時接続が普及しました。また、膨大なデータを生み出しつづけるＩｏＴ機器（モノのインターネットを支える機器）がインターネットとつながって、ビッグデータをビジネスに活かせるようになってきました。特に、画像や不定形テキストなど、従来機械では解析困難だったタイプのビッグデータが重要です。これらに、大きなマーケティング上の価値や、コスト低減、サービス品質の向上の手がかり、付加価値の源泉があることが分かってきました。ここに欠けていた要素が、ＡＩ的な、ビッグデータを解析するソフトウェアであった、といえるでしょう。

当たり前の存在になる人工知能

今回のＡＩブームでは、以前より適切な実証評価が行われると断言できる根拠があります。10億人以上のユーザがいるような超国家規模のグーグル、フェイスブック、新浪微博（ウェイボー）をはじめ、巨大ウェブサービスに出来立てのＡＩがすぐ実践投入され、実用性がシビアに検証されている点です。ＡＩの産業応用が進展するにつれ、データの選別や、ディープラーニングにトレーニングを施すノウハウなどに競争の焦点が移っていきます。オープンソースで商用フリーで提供される解析エンジン

（深層学習ソフトウェアの本体）の価値よりも、その使いこなしノウハウやデータそのものが高い価値をもつようになります。過去の人工知能ブームの際には考えられなかった、速くて安い、大量のＩＴ環境、そして法的インフラをも含む様々なインフラの整備、普及が現実のものとなっています。このため、今回の第３次人工知能ブームは、前回以前のようにブームだけで終わるようなことは決してないと思います。

人工知能という言葉は、それがどこにでも（「どこにでも」という概念は、２０００年代前半に「ユビキタス」と呼ばれましたが、流行り言葉、いわゆるバズ・ワードとしては数年で廃れてしまいました）少しずつ組み込まれるようになれば、「当たり前」「当然」な存在となるでしょう。５Ｇ以降の通信インフラがその傾向を加速します。このため、ＡＩも、いずれ言葉としては次第に使われなくなる可能性が高いと思います。

第2章

ホワイトカラーの仕事はどう変わるのか？

知的生産プロセスを支援するＡＩ

仕事のアンバンドリング、リバンドリング

第1章で述べたように、人工知能（ＡＩ）やロボットに、一般の関心が高まっています。しばらく以前は、ビッグデータとその活用が大きな話題でした。ＡＩとビッグデータは独立の流行語ではなく、互いに深い依存関係、因果関係があります。ディープラーニングは大量のトレーニングデータを必要とします。そしてＩｏＴ機器などがビッグデータを生成することにより、未分析のデータが溢れ返り、加速度的に増えつ

づけています。このような現象面だけでも体感できると思います。未分析のビッグデータについて、人間に準じた分析、あるいは人間技を超えた大量、均質、定量的な分析ができるAIがあれば、非常に助かります。

これらの具体的内容、意味するところについては、後続の章で取り上げるとして、最初にどうしても強調しておきたいことがあります。現在、人工知能が、あるひとりの人間――ここではフルタイム勤務のホワイトカラー社員としましょう――の業務遂行に必要なあらゆる人間の資質、能力を備え、1日に行うすべてのことを代替（これはいわゆる特異点＝シンギュラリティのひとつの定義ともいえます）できる見通しは立っていない、という事情です。

このことは、「弱いAI」、すなわち、少々気の利いた賢そうな振る舞いをするものの、人の能力の一部を補い拡張する「道具」としてのAIを想定する人にとっては当たり前です。単機能の道具としてのAIが、ひとりの人間や集団を完全に置き換えることなど想定できません。一方、本当のインテリジェンス、知能を駆使できる、「強いAI」を思い浮かべる向きからは、「(そんな貧弱な）人工知能は当面どうやって導入したらよいのだ？」という疑問が出てくると思います。

その回答は、「既存の仕事の流れ、業務フローを見直し、いったんバラバラに分解

（アンバンドル＝unbundle）する。そして次に、ＡＩを取り入れて再構築（リバンドル＝rebundle）する」となります。すなわち、現時点でＡＩが担当できる課題群の中で、効果的なもの、費用対効果の高いもの、従来にない高い性能（精度、速度、品質、品質のバラつきの少なさ等々）のものを、まず、個々のタスクごとに、それぞれ専門のＡＩで置き換える。そして、業務全体のトータルのプロセスと結果について評価し、業務プロセス自体を改良。業務の効率化や高品質化など、全体としての改善効果を確認しつつ導入していくことになるでしょう。

より創造的な業務ではどうなるでしょうか？　いわゆるホワイトカラーによる企画業務、特に商品やサービスの考案、研究開発やマーケットリサーチ、そしてサービス業で遭遇する未知の事態の問題解決などです。これらは、ＡＩの支援で、具体的にどのように高度化していくでしょうか？　１９９０年代後半に、これらの課題は、包括して、「ナレッジマネジメント」と、とらえられていました。ナレッジマネジメントにおける知的生産をモデル化したのが図表２－１です。

これは、非常にシンプルな情報処理モデルです。ホワイトカラー業務を図中では「知的生産ユニット」による情報加工ととらえています。情報加工には、必ず入力と出力があります。

図表 2-1　情報を加工する知識を備えた知的生産ユニットとその入出力としての情報

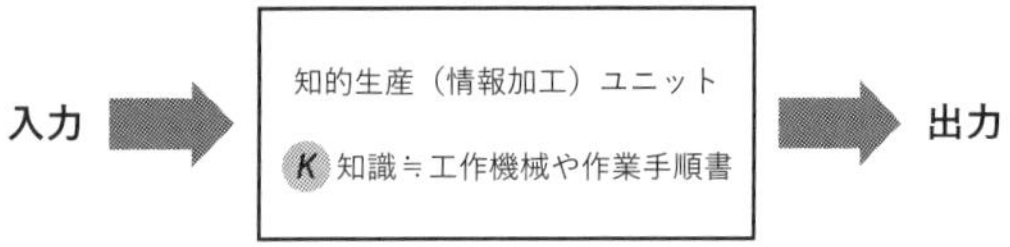

（出所）筆者作成

一個人でも、作業チームでもよいですが、情報加工を担うからには、入力情報を受け取り、それを加工する知識（工場では工作機械や作業手順書に相当）を用いて情報を加工し、出力します。工作機械や作業手順書にたとえられたのは、入力情報をどうさばいて加工するかの知識です。そう、知識とは「使う」ものなのです。

作業手順の標準を記したハンディ・マニュアルのことを日本語で「手引き」と呼びます。いつでも携帯して手でめくって読んで、情報処理を行い、判断し、行動や発言という「出力」に結びつける。これこそ知識の働きにほかなりません。

次の問答は、2005年にドイツ連邦ラインラントファルツ州カイザースラウテルン市で開催された『実践的ナレッジマネジメント国際会議』の招待講演で筆者が聴衆に出したクイズとその回答です。

問：Wordなどのワープロ文書は、知識でしょうか情報でしょうか？

答：どちらでもあります。

ワープロ文書を、たとえば、情報加工のための作業手順書として付加価値を付けるための生産財＝道具として活用したなら、それは知識です。しかしその文書が、図中で加工対象の入力情報であり、加工結果の出力情報となるなら、情報だ、ということになります。

図中、入力情報として、ワープロ文書が流れてきた――たとえば、海外の技術展示会に参加し技術開発動向を視察してきてくれた現地駐在員の出張報告が流れてきたとします。それを受け取った国内本社の研究所が、彼らの蓄積した知識を駆使し、出張報告が自社技術の開発戦略にとって意味するところを読み取ろうとします。この際に、追加調査や知識創造を行うことがあります。

こうして自社で特許回避などを含めた類似技術の開発を独自に行うかなどの判断、意思決定、関連の発想などを生み出し、元の情報を加工して、新しいワープロ文書を出力します。この出力結果は、それが、英語のインテリジェンス（intelligence）に相当する重要なものであっても、あくまで情報です。しかし、社内の研究開発ガイドライン、特許戦略上の注意事項などがワープロ文書にまとめられていたとします。これらを参照、熟読して上記の情報加工を行ったならば、これらの参照文書は、知識として機能したことになります。

情報収集、問題解決の実務を代行するAI

比較的大きな組織では、複数の知的生産ユニット間で情報加工が連携し、問題解決がなされます（図表２－２参照）。これらのユニット間の結合は、頻繁に、活発に変化し、増強されます。知的生産に必要な知識がどこにあるのかわからなかったり、もともと存在しなかったりします。その場合、自分たちで作り出さねばならないかもしれません。そんなとき、その大事な（ボトルネックやミッシング・リンクとなっていた）新知識を作り出せる人や知識素材そのものを、どうやってすばやく、タイムリーに探したらよいでしょうか？

ここで、テキストや音声、画像といった不定形の、従来型の情報システムが扱いにくかったメディア、コンテンツを扱い、検索、分類、要約、データ表現の変換（画像・図表からテキストへ、またその逆のグラフ化など）ができるようなＡＩの活躍が期待されます。３６５日24時間、人間のように寝たり疲れたりせずに、社内の巨大営

図表2-2　複数の知的生産ユニットが連鎖することで知的生産が行われるイメージ

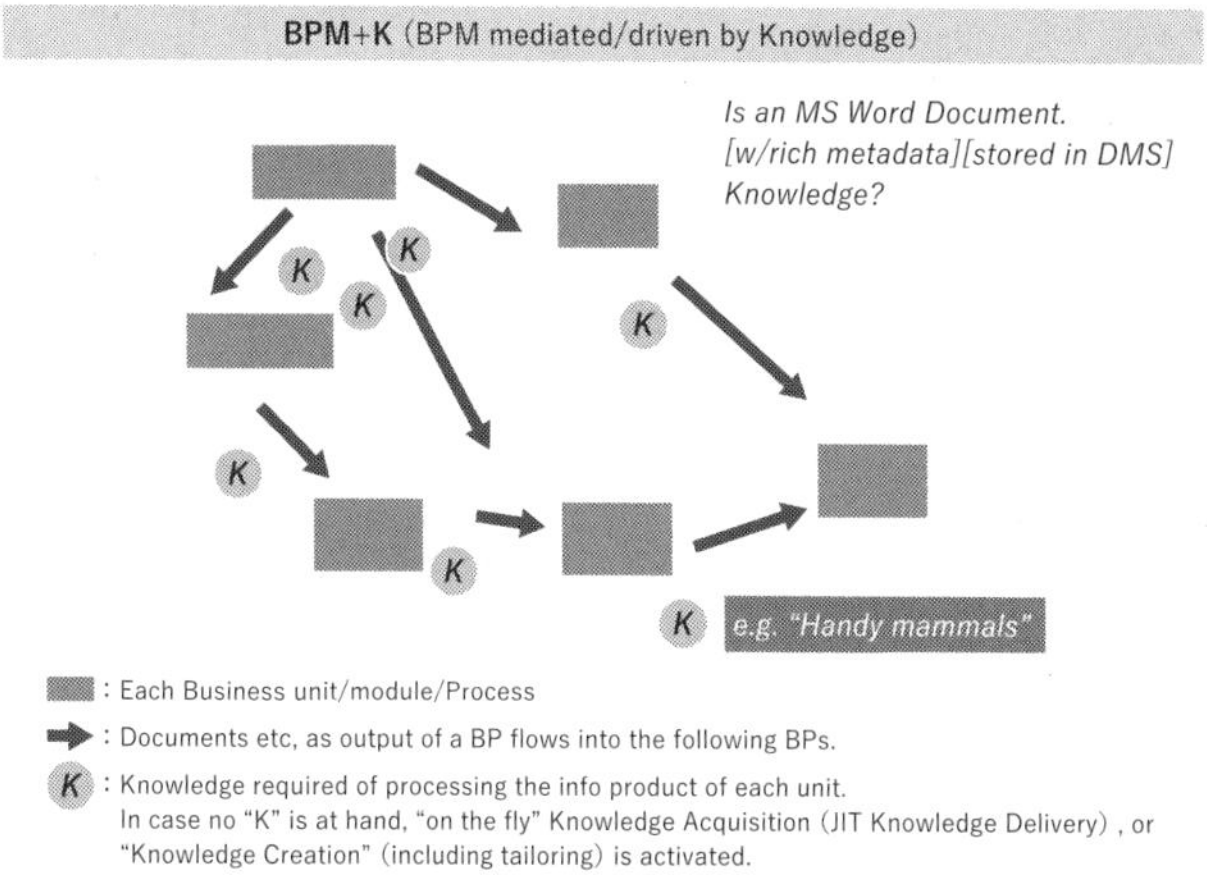
BPM+K（BPM mediated/driven by Knowledge）
Is an MS Word Document.
[w/rich metadata][stored in DMS]
Knowledge?
K
e.g. "Handy mammals"
: Each Business unit/module/Process
: Documents etc, as output of a BP flows into the following BPs.
: Knowledge required of processing the info product of each unit.
In case no "K" is at hand, "on the fly" Knowledge Acquisition（JIT Knowledge Delivery）, or "Knowledge Creation"（including tailoring）is activated.

（出所）筆者作成。初出：「実践的ナレッジマネジメント国際会議2005招待講演」

業日報データベースから、社外のウェブ上の情報、知識まで、ＡＩが大量に探索、収集する。そして、タイムリーに、関連度、重要度のランキング付きで情報を選別、分類する。そして、それらを、問題解決に使えるような知識として再編成するのを補助してくれたらどんなにありがたいことでしょう。

このようにＡＩが組織に配備されるようになると、従来の人間と人間の間の連係プレーのときとは、扱う情報、知識の分量も、処理スピードも変わってきます。また、多くの場合、従来は視界に入ってこなかった生データも見えてくることで、業務フローのあり方がガラリと変わってきます。業務フローの再構築以前には、もっぱら精選された少量の情報、あるいは大雑把な情報のやりとりで業務が進行していたといえるからです。

人間の情報認知能力や表現能力、発信能力は突然高度化したり、100倍に大容量化したりしません。このため、情報量や詳細度を、受け手である人間の処理容量、認識や理解の癖に合わせて変換するAI的なソフトウェアが必要となってまいります。人間がおおまかな指示をしたものをブレークダウンし、欠落情報を適宜補って「よきに計らって」くれるAIも有り難いですね。このように、情報収集や問題解決の実務を代行する代理人AIを作るなら、それは「エージェント」と呼ばれます。

消費者接点、企業間、企業内業務フローで求められるリアルタイム化

ここで、「なぜ組織や業務フローを、AIなんかを取り入れて変えねばならないのだ?」という疑問が湧いてきます。その背景には、スマートフォン（スマフォ）の普及や、ソーシャルメディア、企業ウェブ、ウェブ広告メディアの浸透があります。これらにより、消費者はサービス提供者がリアルタイムに反応してくれることを当然の

ように望むようになったのです。消費者接点がリアルタイム化すれば、それに対応して、社内業務フローも適宜リアルタイム化する必要があります。さもないと、消費者に期待されるスピードでサービスを提供できません。そして、サービスの生産、提供に必要な素材を調達するＢ２Ｂ取引、企業間連携のサプライ・チェーン・マネジメント（ＳＣＭ：Supply Chain Management）もリアルタイム化に対応する必要が生じます。

この傾向、流れは、決して後戻りすることはないでしょう。特に５Ｇ以降の高速無線常時ネット接続の生活や産業への浸透、その末端にあるセンサーを備えたＩｏＴ機器、スマフォやタブレット端末の類がその流れを後押しします。そして、ネットの「あちら側」、クラウドの中にある高性能サーバーと、その中でビッグデータ解析などを行うＡＩソフトウェアが進化して、リアルタイム志向のサービスが高度化します。ユーザ、消費者はすぐに、より便利になったサービスに慣れてしまい、それを当たり前のものと感じるようになります。さらに高度な欲求、消費者本位の我儘な欲求に発展することはあっても、後戻りはしません。

かつての生産者、ベンダー（製造者、商品・サービスの提供者）中心の視点から、消費者中心、顧客視点のサービス設計へと移行しつつあることを象徴する用語の変化が2つあります。ひとつは、上流の製造者、卸業者などの視点、すなわち供給者(supplier)視点によるサプライ・チェーン・マネジメントから、下流の消費者、ニーズの側、要求側視点によるデマンド・チェーン・マネジメント(DCM：Demand Chain Management)に移行する流れ。もうひとつは、従来、顧客接点でカスタマー・リレーションシップ・マネジメント(CRM：Customer Relationship Management：顧客関係管理)と呼ばれていたものから、消費者の視点で、売り手側、ベンダーとの関係を管理すべしというベンダー・リレーションシップ・マネジメント(VRM：Vendor Relationship Management：ベンダー関係管理)へとシフトする流れです。

VRMの実現のためには、複数ベンダーの情報が公平、公正かつ正確に消費者側に伝わるベンダー独立の仕組みが必要です。今はベンダーごとに異なる様々な個人情報(年齢性別などの属性、興味関心情報、購買履歴やソーシャルメディアでの発言やコメントなど)の持ち方を標準化する必要があります。そしてもちろん、漏洩のないよう管理できる共通の仕組みを確立します。そうすれば、消費者個人向けにカスタマイズ、パーソナライズされ、絞り込まれた情報がタイムリーに届くような仕組みを、ベンダー独立に実現可能となります。

参加する企業は、個人情報の内容や形式を共通化し、その企業の商品、サービスの内容、状況（在庫、キャンペーン価格など）を様々なアプリ、端末に向けてAPI（Application Programming Interface）として提供します。情報提供者側がデータをAPIの形で提供すると、スマフォなどの端末から、これらのAPIを介して個人情報を活用するアプリケーションを簡単に作れるようになります。つまり、きわめて容易に、アプリケーションの連携が可能となり、多彩な情報連携がきわめて低コストで（いわゆるSI：System Integration と呼ばれる大げさな作業が不要）、すばやく導入できるのです。豊富なAPIがあれば、まず作ってみて、良いものだけが受け入れられ、他は淘汰されるにまかせる、といったIT活用の世界が現実のものとなります。「APIエコノミー」という言葉が早期に浸透している米国では、「APIをもたない企業なんてインターネットにアクセスできないコンピュータのようなものだ。かつてなら電話やメールアドレスをもたない企業みたいだ」という言い方がされています。DX＝デジタル・トランスフォーメーションの時代に、APIは必要不可欠な存在です。

リアルタイム要求の高い業種、業務：サービスの本質

サービス化で何が変わるのか？

前述のリアルタイム化への移行が、全業種の、全業務で、均等に起こるとは考えられません。業界ごとに、また、業務（社内の業務分掌）ごとに、そのスピードや移行率にはムラが出てきます。

図表2－3は、筆者が法政大学大学院イノベーションマネジメント研究科の開設以来、講義で使ってきたものです。横軸に製造業、流通サービス業、金融業、公共部門と業種を並べ、縦軸には各社内での様々な業務、企画・設計、製造から、下流の受注、納品、決済、保守・サービスまで並べています。

製造業のビジネスが、いわゆる「モノからサービスへ」と、意識的に業態を変化させています。サービスの提供はリアルタイムに行われるので、産業のリアルタイム化を象徴する流れといえます。有名な一例は、電動ドリルの製造販売会社が、自身を再定義して、「われわれはドリルというモノを製造・販売しているのではない。お客様の現場で、穴を開けたい対象物に、必要なタイミングで必要な数の穴が必要なコスト

図表2-3　リアルタイム要求の高い業種、業務

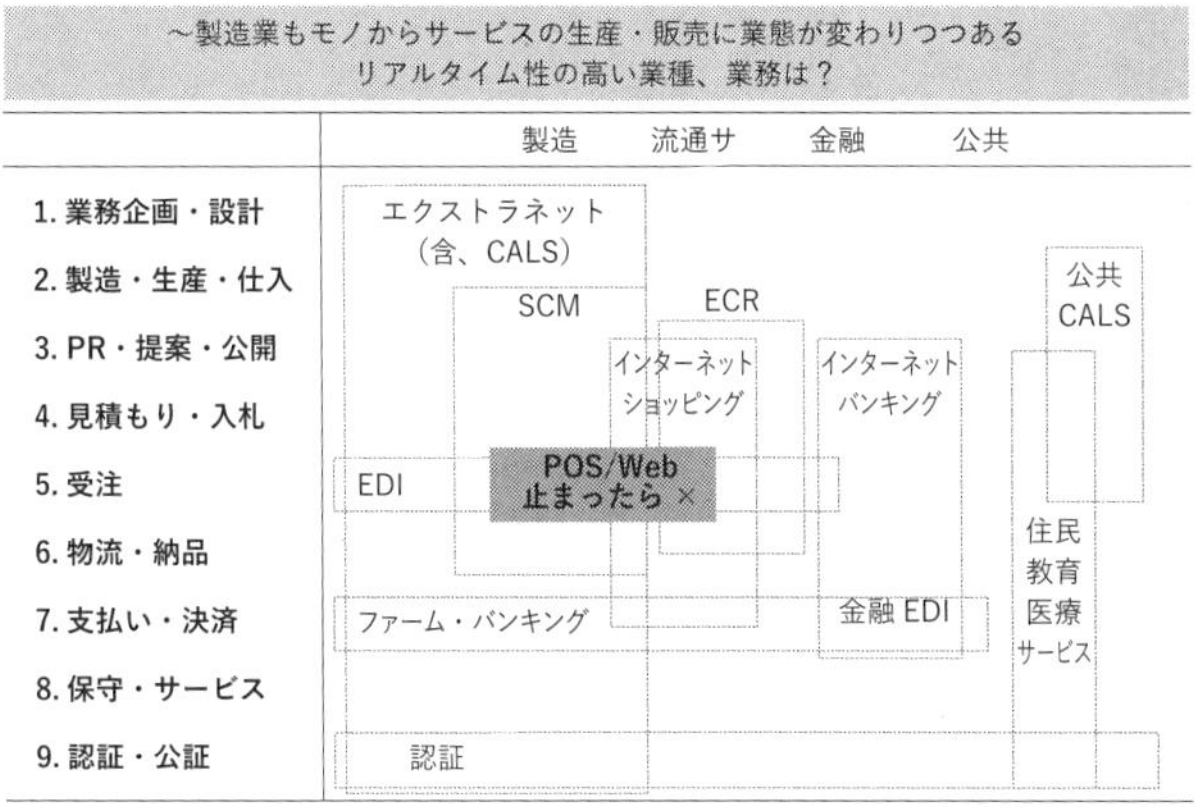

（出所）「ビジネスプロセスとEC」『bit』誌（1999年3月）より表現を変えて引用

以下で開く、というサービスを販売しているのだ」というものです。

「サービス化したからって何がどう変わるのか？」という問いには、次のような根本的な違いが生じると答えます。品質管理から評価のされ方まで、何から何までモノの提供と変わってまいります。

〝サービス〟という商品の基本特性

その場で（最終）生産され、消費される（リアルタイム性）

- 生産行為と消費行為を分離できない。
- 〝触れない〟〝目に見えない〟ことが多い。

- 〝ストック（在庫）が効かない〟〝運搬できない〟。
- ビジネスプロセス自体が商品。
- 業務知識管理＝企業ナレッジマネジメントが〝製造ライン〟。
- カスタマイズ性に富む。

髪を切る理容・美容などを思い出せば、〝その場で生産され消費される〟というサービスの基本特性は腑に落ちることでしょう。これは、リアルタイム性そのものです。サービスは、その時間経過の中で行われる行為、プロセスですので、モノと違って、〝触れない〟〝目に見えない〟ことが多くなります。そして、個々のサービス体験は、一般には完全に同一のものとして複製できません。言い換えれば、規格品とはなりにくいです。そして、その適正価値（価格）の評価（市場で）が、モノと比べて困難となります。

次の〝ストック（在庫）が効かない〟は、理美容や講演、輸送サービスなどではすぐ納得いただけます。〝運搬できない〟については、大学院生から「先週、私は飛行機で、羽田から福岡まで運搬されましたが、これはサービスではないのか？」という質問を受けることがありました。航空輸送は、もちろん、典型的なサービス商品です。先の質問に対しては、「○年△月×日に羽田から福岡に乗客ひとりを運ぶ、というサービス商品を、米国や中国にもっていくことはできないでしょう？　この意味で運搬できないのです」と回答します。

プロセス自体が商品ということで、プロセスを支える業務の仕組みを記述した「知識」が、サービス商品の、いわば製造ライン、ということになります。知識を使ってサービスを作り即提供。中でも、知的生産を行うサービス業では、知識管理＝ナレッジマネジメントが製造工程に相当し、知識創造は、製造ラインの新規設計や改良に相当します。

サービス商品は、個別のユーザ体験と表裏一体（その場で最終生産され消費される）であるため、規格化、画一化がモノ商品に比べて困難です。その裏返しで、ユーザ一人ひとりに適合させる、カスタマイズ性に富みます。いいかえれば、コモディティー、ありふれた日用品とは対極の存在ということになります。

あるコモディティー商品が低価格圧力を受けて経営が悪化したなら、それをサービス事業として衣替えしたらどうだろうか。サービス化して個性的な存在となり、ブランドイメージを上げ、付加価値を出しつつコスト増を抑える。そうすれば、利益率を大いに上げられるだろう。こんな目論見がサービス化の時代を象徴しています。この

図表 2-4　ラブロックによるサービスの分類

サービスの対象

サービス活動が目に見え触れるか	人	所有物
有形の働きかけ	**“人の身体へのサービス”** ●交通機関 ●医療　●宿泊　●飲食 ●エステ　●スポーツ ●理美容 ●葬祭	**“所有物へのサービス”** ●モノの輸送 ●修理・保全 ●倉庫・貯蔵　●清掃 ●衣服のクリーニング ●給油　●廃棄物処理 ●庭園管理
無形の働きかけ	**“人の心、脳へのサービス”** ●広告・宣伝 ●エンターテインメント ●放送　●教育 ●コンサルティング ●カウンセリング ●コンサート　●宗教	**“無形資産へのサービス”** ●会計　●銀行業務 ●情報処理　●保険業務 ●法律サービス ●プログラミング　●調査 ●投資顧問

（出所）Lovelock, C.H., *Service Marketing*, Prentice-Hall, 1996, p29.

際、個別化（パーソナライズ）、カスタマイズした魅力的なサービスをリアルタイムで提供できれば、さらに競争力を増すことでしょう。そのためには、やはり、人の代わりに、安く大量に個別化を行い、疲れを知らずにサービス生産の一翼を担うAIに期待がかかります。

サービスをより深く理解するために:ラブロックの分類

ここで、様々な種類のサービスを分類、俯瞰してみましょう。サービスを、その対象と、サービス活動が目に見えるか触れるか（有形か無形か）という2つの軸で分類した、クリストファー・ラブロックの分類です（図表2－4）。

これは、筆者が法政大学大学院イノベーションマネジメント研究科の客員教授として、サービス化の時代の情報システムを論じはじめた２００２年頃に発見したものです。当時、ＩＴ系の学会やメディアでサービス科学が語られはじめていました。その際に、実は先行研究があるのではないかと考えて調査し、小売り・流通関連の海外学会の文献から得た知見です。

人肌に施術するような有形のサービスは、抽象的で目に見えないデジタル数値データによるサービスに比べると、分析しにくい、という傾向はありそうです。反対に、分析しやすいのは、無形の、目に見えない人の所有物や、ずばり、データに対するサービスだといえるでしょう。ラブロックの分類でいえば、会計、銀行業務、情報処理、保険業務、法律サービス、プログラミング、調査、投資顧問が該当します。全部ではありませんが（たとえば、意外にもプログラミングという高度なアートは数値評価がしにくいところがあります）、数字で効果測定しやすいものがならんでいます。

他の有形のサービス、流通・運輸などでも、先述のＩoＴのセンサーを付加することで大量の数値データを取得しやすくなりました。自然言語テキストや音声、画像、動画といったデータについて、認識系ＡＩによって数値化することで、分析しやすくなります。この数値化によって、統計処理、機械学習アルゴリズムなどで分類、解釈、さらには、法則の発見に近いようなことまで、分析系ＡＩが担えるようになります。こうして、従来、ラブロックの分類で、分析の対象になりにくかった種類のサービスが、第３次ＡＩブームで登場したＡＩツール群によって、分析できるようになってきているのです。

業務プロセスの一部をＡＩで置き換える

受注プロセスにＡＩを利用する

少し一般論が続きました。ここで具体的に、企業が商品・サービスを受注するときに行う事務処理を題材に、その業務フローを眺めてみます。図表２－３の「５．受注プロセス」は、既存（AsIs）の業務フローです。これを分解（アンバンドル）して、あるべき（ToBe）業務フローをＡＩ導入により再構築（リバンドル）し、高品質、低コスト、高速な受注フローに改善できないか見てみましょう。

図表２－５（プロセス・チェーン「受注処理」）はＩＤＳシェア（Scheer）社による「受注処理」プロセス図を簡略化したものです。同社は、２０００年代初めに、ドイツの経営工学の大家、ザールブリュッケン大学教授で、ＤＦＫＩドイツ人工知能研

図表2-5 プロセス・チェーン「受注処理」(抜粋)

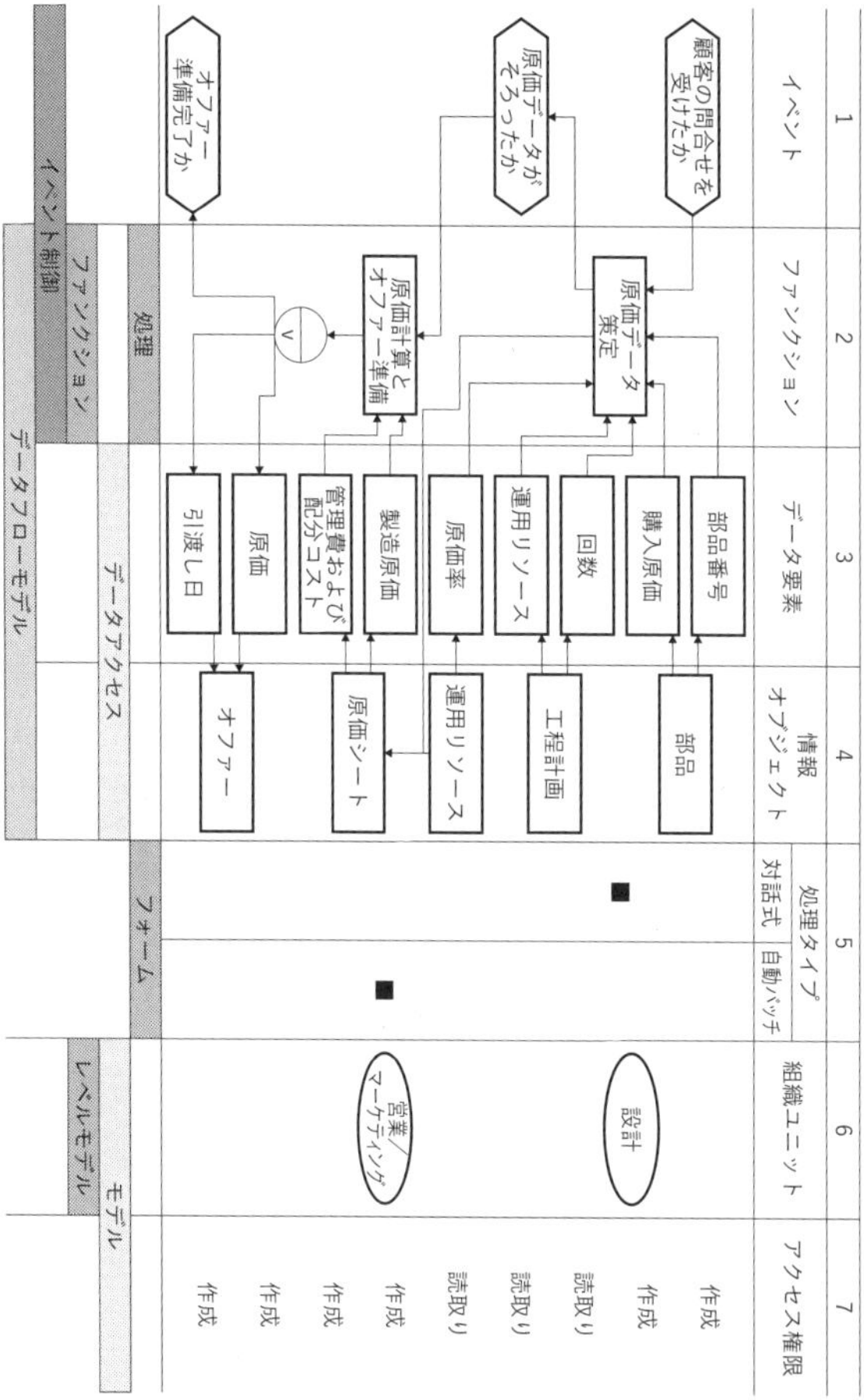

(出所)IDS Scheer「受注処理」プロセス図を簡略にして作成

究センター傘下の経済情報学研究所ＩＷｉ（Institut für Wirtschaftsinformatik）所長のＡ・Ｗ・シェア教授（Prof. Dr. h.c. mult. August-Wilhelm Scheer）が創業したものです。

受注業務プロセスを彼らのソフトウェアでモデル化し、進行管理できるように図解されています。人手だけで様々に無意識に行っていた業務も、まるでコンピュータプログラムの仕様書のように分解できているように見えます。「顧客の問い合わせを受けたか？」というイベントに始まり、関連して収集・選別されるべきデータを厳密に規定。次に、必要なリソースを見積もって、今回の個別原価や納期を算出。そして最後に、顧客にオファー（見積もり）を行うまでの業務プロセスの連鎖をモデル化しています。関連の処理（ファンクション）、データフローモデル、必要文書（フォーム）とその扱いなどの要素に分かれており、一部は自動化できています。

残りの、人間が担うとされた判断、策定などのファンクションを機械に担わせたら、それは、すなわちＡＩに委ねたことになるでしょう。この際に、顧客とのやりとりから対話式に記入されるべきフォームに、人間なら融通をきかせ、常識をはたらかせ、解釈を補って記入できていた情報などへの対応も必要でしょう。

ある時点のＡＩが、この図のプロセス・チェーンの中のひとつのファンクションを丸ごと担えないならば、図表2－5に描いたプロセスの表現をさらに細分化します。そして、ＡＩでできることを切り出して対応することになります。残りの部分は人間による運用でカバーします。運用で歩み寄るのはサービス提供者だけでなく、利用者もありかもしれません。常識をもたないＫＹなＡＩの脇で、助言者から、もう少し顧客に歩み寄ってもらえるよう、意図を説明してもらってもよいでしょう。そのようにしてから、その時点のＡＩにバトンタッチできるようにしてもよいでしょう。

いずれにせよ、その置き換えの実現のためには次の検討が必要です。

- まず可能な限りプロセス・チェーンのモデルを精密化すること。
- 少なくとも、人間が担った場合に比肩できる処理の精度、速度、費用対効果を達成できること。
- あるイベントやファンクションが生成するデータ量、処理量の規模のバランスが著しく崩れ、無駄な時間待ちが発生しないこと。できれば、その欠点を補い、ひとつのＡＩが、複数の業務プロセスにシェアされるようにして、経済性を改善できること。

従来、人が担ってきたサービスの一部をＡＩが置換したときに、そのＡＩの貢献度や、プロセス全体での効率化、スピードアップ、コスト削減効果を測定したいものです。しかし、これらの効果を数字にするのは容易ではありません。ひいては、安易にＡＩの効果の数字や、ＡＩ市場の数字を見積もることも自戒すべきと思われます。

たとえば、図中、「3.データ要素」の中ほどにある、原価率、製造原価、管理費および配分コストなどのデータを学習させてみましょう。これにより、ＡＩで「2.ファンクション」の「原価計算とオファー準備」ができるでしょうか。複数の見積金額に、根拠を添えて、受注可能性の数値付きでＡＩは出力してくれるでしょう。見積もり作成担当者はその中からひとつを選んで決断すべく、当該案件の営業日報を読み込んで分析し、さらに担当の営業マンにヒアリングして感触をつかむことになります。クライアントの性格や心理、業績などを勘案する高度な業務です。さらに、過去の類似の案件の営業日報、原価などのデータの変動などに基づいて、見積もり提示額と受注・失注の関係を、先方の推計予算から推理する。これにより、ＡＩが提示した見積もり提示額を上下させる必要もありそうです。

営業日報のようなデータは、自然言語解析を担うＡＩに分析させられるようになりました。他の数値データとも比較照合して、受注・失注との相関関係を分析することもできます。データ量が多ければ多いほど、人間よりも、むしろ機械のほうが得意となってまいります。また、データを変えてみて、受注確率をシミュレーションするような試行錯誤も、機械なら楽々と膨大な再計算をこなすことができます。

しかし、担当の営業マンや、顧客自身を再度酒席で接待してヒアリングし、はったりをかけてみたりして予定発注金額の感触をつかむようなことまで、AI、ロボットにまかせられるでしょうか？　そのようなことが少しはできる高価なロボットが遠い将来誕生するかもしれません。そうだとしても、まだまだ見通し可能な未来においては、人間が担当すべきファンクション、役割と考えてよいのではないでしょうか。

ビジネスプロセスにおける知識処理：ホテル宿泊客受付のケース

受注処理よりも身近で、一般消費者にイメージしやすい、もうひとつの例、「ホテル予約の受付」処理を取り上げます。

受付担当者は、電話をかけてきた見込み客の話し方、リクエスト内容、出方に応じて当意即妙に、魅力的に当ホテルを紹介します。それとともに、どの宿泊単価レート、クーポン適用対象者か、などをチェックします。昨今、宿泊や旅客運輸サービスでは一物多価が当たり前。そこでは、「イールドマネジメント」というソフトウェアが、なるべく高レートの上客で空室・空席を埋めるべく大活躍します。過去の履歴データ、顧客プロフィールなどをもとに、仮に当該レートで目下の客を受け付けた後で、もっとレートがよく、長く泊まってくれる客が現れる確率を計算します。その確率が十分低い、となったときにその客を受け付けます。その端末上の画面に、「この安い客を見送ったほうが、この後の上客の出現で儲かる確率が高い」という意味の表示を見た電話受付オペレーターは、実際には空室があっても「あいにく満室です」と断って、近所のホテルを紹介したりします。

今後は、このイールドマネジメントというソフトウェアにＡＩを搭載し、もっと投機的な判断や最終判断まで任せるようなこともできそうです。目の前の客の表情を読ませたり、顔認証で本当にリピート客かをチェックしたりするように発展していく可能性もあります。その際の法的、倫理的問題がクリアできれば、サービス提供側の利益とサービスを受ける利用者側の利益の両立をはかり、次第に、ＡＩ的な機能を高度化していくことでしょう。

ＡＩを活用したサービスの展開

ＡＩによるサービスは3つに分類できる

ここまでは、ＡＩ的サービスの分類や、主に企業内の様々な業務フローにＡＩが加わって、じわじわと世の中が変わっていくことについて、ＡＩの仕組みに適宜触れつつ、ご紹介しました。多彩なＡＩの定義や応用イメージのせいで、いろいろ違和感を覚える向きもあろうかと思います。そこで、先述のものとはまた異なる、人工知能の定義、要件、その一部を満たす技術やビジネスに触れてまいります。

再び、３つの軸が登場しますが、第1章に記した3軸「強い vs 弱い」「専用 vs 汎用」「利用する知識やデータが大規模 vs 小規模」とは異なるＡＩの分類を試みます。今度はＡＩを用いたサービス、あるいはＡＩ的なサービスの分類です。

①「ご利益・メリットが従来は人間によるサービスからしか得られなかったもの」
②「手法（アルゴリズムのタイプ）が最近流行のＡＩのもの」
③「機能や入出力が知的な感じがするもの」

①には、人間にしかできない、とその時点で思われていたことが該当します。写真や動画を見て何が写っているか、モノの名前や人名を言い当てたり、鳴き声が何の動物であるか言い当てるなど、最近ディープラーニングで可能になった多くのことが含まれます。高度専門知識を提供する医療、法務、会計などでは、大規模データでトレーニングしたＡＩが、専門家の一部の能力を凌駕する事例が出てきました。秘書サービス、接客サービス、介護や料理をはじめとする家事代行サービスなどは、時にロボットという身体も備えて、人間を支援する多彩なサービスがあります。第２章に掲載した「ラブロックによるサービスの分類」の中で人への有形の働きかけ、〝人の身体へのサービス〟に該当するものの多くが、物理的な移動能力や、両手両足を必要とするでしょう。

①に該当し、とても役に立つけれども、まったく知的な感じがしない、でも、内部には高度なＡＩがある例が、高級お掃除ロボットです。掃除に徹したルンバは、動き回りながら部屋の様子の３Ｄモデルを内部に構築するという高度な認識を行います。この意味で、②に該当し、人工無能で一問一答ないし限られた文脈パターンの対話をするチャットボットよりはるかに「賢い」人工知能応用製品といえます。しかし、動

物みたいで可愛い、という感想はあっても、一見して「知的」と評価する人は多くありません。③からは外れるといえるでしょう。

②としては、以前の人工知能ブームでは、エキスパートシステムの開発などに使われたLISPやPrologといった人工知能プログラミング言語を使ったシステムだからAIである、といった少々粗雑な分類が該当しました。ここでは、ディープラーニングを用いた問題解決でありながら、①にも③にもまったく該当しない例として、「アップコンバータ」を挙げてみたいと思います。

これは、テレビ画面、動画像のアップコンバート、すなわち、高解像度化のことです。かつてはDVD画質（SD）をハイビジョン画質（HD）にアップコンバートする性能が競われました。2016年のリオ五輪の少し前あたりからハイビジョン画質を4K解像度にアップコンバートする高画質テレビが売れています。縦横2倍ずつ、合計4倍の画素数にするのに、ひとつの画素を単純に4つにコピーしてその位置に置くだけでは、輪郭のボケた、いわゆる「眠い」画質になります。輪郭線は、2次微分係数から求まります。ですので、その辺りだけ、4画素の一部だけ明暗のコントラストを付ける、などの数式によりアップコンバートする方法があります。また、ある範囲でランダムに掻き混ぜてシャープ感を出すなどの手法もあります。

　これに対して、ディープラーニングがかなり自然で良い画質を実現できることが分かってきました（たとえば waifu2x）。ディープラーニングは生データから特徴を抽出できるだけでなく、より大きなデータを出力層にもってきて、それらが出力されるように学習させることもできます。そこで、原理的には、森羅万象の部分画像の低解像度版と高解像度版のペアを用意し（高解像度版のデータさえ大量に生成できればそれを縮小した低解像度版は自動的に作れます）、ディープラーニングに学習させることで、高解像度の元の絵が「推定」され、合成される、というわけです。

　アップコンバートなど、知的な感じも人間味も全然ない機能で、ハードウェア、LSIチップが機械的に処理しているのだろう、と思う人が多いでしょう。ですが、こんなところにも最近のAIの手法（アルゴリズム）が応用されているのは興味深いと思います。多彩なAIの応用法があるのであり、基本的には道具に過ぎないのだ、という理解を深めるのにも好適です。
　③「知的な感じがする」のは、コンサルティング、カウンセリング、法律サービスのように、〝人の心、脳へのサービス〟〝無形資産へのサービス〟などの無形の働きか

けに該当するものが多いでしょう。〝人の心、脳へのサービス〟を実現するには、人との対話機能が、インタフェースとして必要となります。図表2－4の「ラブロックによるサービスの分類」の左下象限には、次のサービスを挙げています。

- 広告・宣伝
- エンターテインメント
- 放送
- 教育
- コンサルティング
- カウンセリング
- コンサート
- 宗教

これらすべての応用について、新たな学習無しにひとつのAIで対応できる汎用のAIを作りたい。これは、AI研究者の夢です。それまでは、分野・ジャンルを判定してそれぞれの専用AIにバトンタッチするシステムを必要に応じて構築することになるでしょう。

従来存在しなかった、ＡＩを活かした新サービス、新製品は、次の要件が満たされて初めて出現します。

●ニーズが存在。

●ＡＩのおかげでコストダウン、スピードアップ、精度・性能が向上。

●ニーズとその具体的実現手法を結びつける技術、サービス提供の仕組みを、利益の出るコストで実現するアイディアの存在。

一点目を満たしていないと思われる例をひとつ考えてみましょう。高性能な大型の自動運転二輪車です。技術的には、四輪よりもはるかに難しい、素晴らしいチャレンジと思われます。カーブを高速で通過するのに転倒しないよう、思い切り重心を低く、コーナーの遠心側に全身を傾けてバランスをとることを「身体を左に（右に）傾けてください」とＡＩが音声指示をしたのでは間に合いません。それこそ、乗員の小脳に直結してその動きを強制するとか、超高度なバイオＡＩテクノロジーが必要になるかもしれません。あるいは、無駄に大きな錘《おもり》を搭載して（乗員の体重による重心移動に対抗できるほど！）、乗員の重心がどこにあろうが全体の重心をＡＩがコントロールしてしまう。恐怖にかられた乗員はそれに逆らわずに、そのときの姿勢を硬直した結果、維持する、という不快極まりない運転フィーリングになってしまうかもしれません。四輪でさえも、乗員とシームレスに運転を互いに引き継いで違和感・恐怖感のない、安全な仕組みを実現するのは難しいと、実体験者から評価されています。

「ポルシェのオーナーなら自分で運転したいだろう」として、ポルシェ会長オリバー・ブルーメ氏が、自動運転車は自社顧客にとって「魅力的ではない」から、自動運転車の開発計画はないと語った報道がありました（同社はその後高齢者などを想定した開発計画を公表）。このような記事に見られるように、四輪でもそのような車種があります（http://www.huffingtonpost.jp/engadget-japan/porsche_b_9164972.html）。

二輪の場合は、大半の車種が「自分で運転したい」から運転されるものと思われます。仮にニーズがあるとすれば、実用に徹している50ccの原動機付自転車か一部の荷物搭載量の大きいスクーターでしょう。ですが、このような軽量車種の場合、技術的限界、コスト的限界から、自動運転化はきわめて困難になるでしょう。２０２０年になって、自動運転二輪のニュースが出てきましたが、今後を注視したいと思います。

う。

ディープラーニングによる画像認識のサービス化

ディープラーニングによる画像認識・分類をそのままサービスにして、実用に供することも可能です。ただし、音声認識同様、そのサービス単体では、直接対価を得るのは難しく、他のサービスと連携させたビジネスモデルを考える必要はあるでしょう。

監視業務がそのまま対価、料金を取れる可能性がある少数のサービスとしては、たとえば、次のようなものが考えられます。

- 交差点などでの通行量の測定。
- 監視カメラ映像での不審者などの異常の自動監視と通知。
- ヘルスケア・医療向けに広く浅く予備的診断・モニタリングを行う。
- 小売り店舗での売れ行き状況、ディスプレイの乱れの監視。
- 様々な機器の異常音の判定。
- 食材や料理の認識、すばやい照合による、客と店、料理とのマッチング。
- 運転中（含、自動運転）の窓外で見つけたオブジェクトの認識。
- スマフォで撮影した草、木、花、茸、各種動物、魚類等の名前を確かめる教育目的。

- 監視カメラがとらえた自動車の車種を認識。
- 写真中のランドマーク(例:タワーの固有名)を認識し知識検索の上、場所を特定。
- 様々な分野の製品のメーカー、型番を推定(ただし、これらの文字が写っていないとき)。
- 人の顔画像から年齢、性別などの基本属性を認識(例:MS社 how-old サービスと同様)。

これらは、分かりやすく美しいインフォグラフィクス(対象のもつ情報構造の視覚化)とともに、価値を認めてくれるシーンに投影、可視化することで、より大きな価値を認めてもらいやすくなるでしょう。さらに、ビジネスモデルを工夫することで、何十倍も付加価値を高めることも可能と思われます。

第5章で紹介するメタデータ社の「この猫なに猫?」アプリケーション、APIは、猫写真を読み取り、ほとんどの人間よりも高い精度で猫種を当てます。写真をポストすると、世界の猫67種類からどの種類であるかの認識結果を、確信度(%)の数字付きで、可能性の高い5位までを出力します。他の動物や物体、人間の顔写真を認識し、科学的根拠に基づいてどの猫の種類に近いのか返せるため、エンタメ系の応用用途に使えるようにも企画されています。

猫を認識対象、テーマとして選ぶ前に、事前にネット上で101人にアンケート調査を実施しました。お題は「画像をアップロードすると鳥の種類や花の名前を教えてくれるサービスがあれば利用してみたいですか?」です。草花、虫、様々な動物、魚類、鳥類の写真から名前を返すアプリがあれば是非使いたい、という反響を確認していました。

反響の中で最も多かったのが、野山を散策中に見つけたキノコが食べられるかどうか、毒キノコかどうかを返すアプリがほしいという声でした。しかし、いくら免責条項を表示してOKをもらっても、アプリの回答を信じておなかを壊したり、最悪、死亡事故などを起こたりしてはまずい。こんな配慮から、キノコ判定は避けました。

結果的には、ネットの反響の中でベスト・アンサーに選んだ「子供の教育用に例題のほか、雑草を含む植物、虫、種、葉っぱ、自動車、犬、猫などの種類や名前が分かればぜひひとも利用してみたいです」の一部を実現することになりました。インターネットのコンテンツの15%を占め、いまや日本国内でも数兆円市場に達するという「ネコノミクス」を支える猫ブームに乗って猫を選んだ次第です。草花と違って、顔があり、猫顔の人間を判定する面白アプリが出現するであろうことも事前に想定していました。

実際、「なに猫？・API」を活用した、合コン向けアプリ、「なに猫？・マッチング」が登場しました。ある猫と筆者の顔写真の「相性」診断の例とアプリの説明文です（図表2－6）。

単純にものの名前を教えてくれるだけのアプリは、直接のユーザから対価を取るのは難しそうです。彼らには無料で提供し、広告や、スポンサー企業にとっての宣伝効果からマネタイズ、サービス継続をするビジネスモデルとなるでしょう。これに対し、そのディープラーニングの認識機能をAPI化し、面白アプリ、診断アプリなどを簡単に制作できるようにすれば大きく可能性が広がります。前述のように、アプリで合コンで異性と親しくなるきっかけを作る、などの全然違ったご利益を引き出したりすることができます。「ねぇ、君、可愛いね。猫ちゃんに似てるって言われない？どんな種類の猫に似ているか、人工知能に判断してもらおうか？」と言って、まずは異性の写真を撮らせてもらうというハードルをクリア。その後、一緒にスマートデバイスの画面を眺めながら自撮りをして、相性を判定します。

図表 2-6　なに猫？マッチング

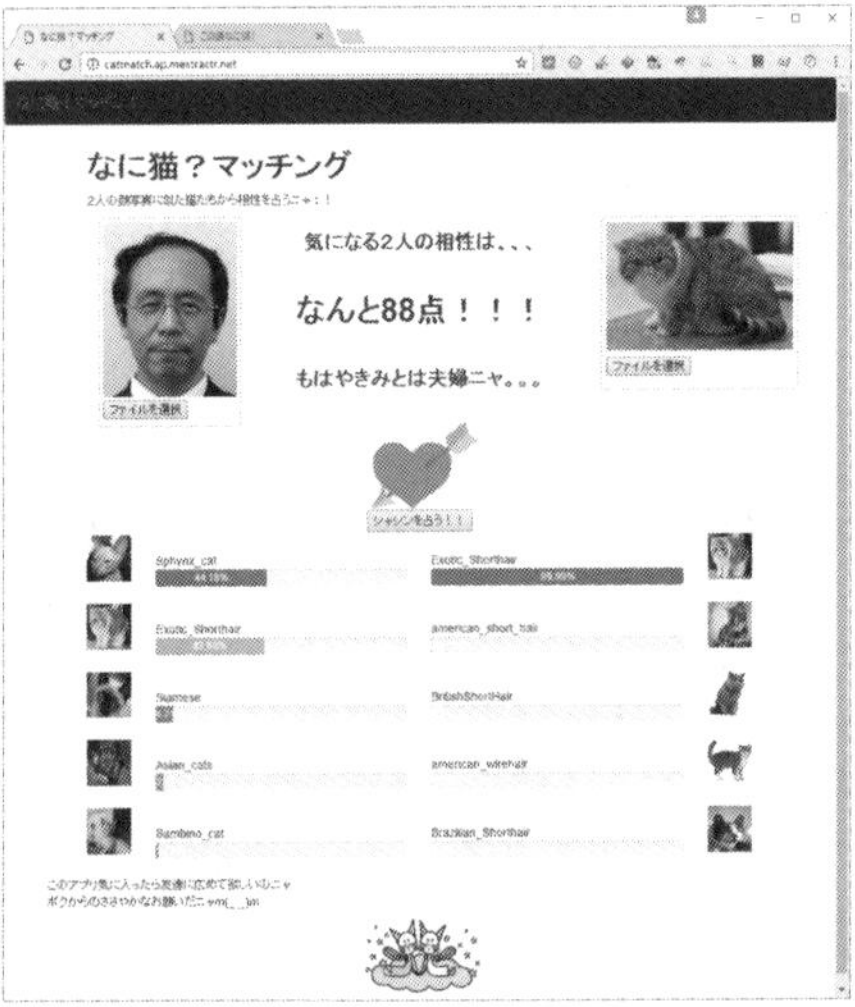

猫の予測から相性の予測？！

相性占い、いろいろなものがありますよね？

名前だったり誕生日、血液型など etc。。。

でも、顔写真を使った相性占い、しかも猫の予測もしてくれるなんて新しくないですか？

このアプリでは、皆さんの顔写真から僭越ながら、ねこらしさを見つけ出し
お二人のマッチングの手助けをいたします！

ただ、このねこらしさをどうやって見つけ出すか気になると思うんですよ。

実はこの猫予測、超話題の Deep Learning を使っているのです！！

メタデータ社さんの「この猫なに猫 API」によって画像から得られた猫予測 Top5 の確率と
猫の名前から独自のアルゴリズムによって算出された相性値で２人の仲を診断！

合コンの話のネタに！

飼っている猫のお見合いに！

好きな芸能人との妄想に！

使い方は自由自在！是非遊んでみてください！！

使い方
左右の２つのフォームにそれぞれお二人の顔写真を入力していただいて
真ん中の占いボタンを押せばすぐ診断結果が出てきます。

（出所）メタデータ社

AIの認識・分類能力を活かす

後で述べるように、ＩｏＴ機器が刻々と生み出す膨大な生データに何らかのパターンや異常がないかなど、認識・分類するＡＩが付加価値を生んでくれそうです。何かのついでに、多くの場合ダメ元で、認識しておく、という活用法もあります。画像ならば、何か見覚えのある形状の個体をいつどこにあった何であるかを突き止めてくれることで、有用な面白い発想、行動に結びつくことがあるでしょう。

人間の能力を拡大する「弱いＡＩ」という考え方に忠実に新サービスを考えるなら、たとえば、会った人の顔を忘れてしまいがちな人を補佐するサービスが思い浮かびます。写真の入っていない名刺を渡されたら「失礼します」と言って、その人の顔と名刺を並べて撮影し、顔認識と文字認識で両者をＡＩに紐づけさせる。次に会って名前が出てこないときに、ＩｏＴ機器化した眼鏡をかけていれば、眼鏡の機能で少し先に投影した仮想画面上の文字表示で名前を確認できるようになるでしょう。

あるいは、常時、画像認識機能をオンにしたスマフォを胸ポケットに（カメラのレンズが露出するように）入れておきましょう。スマフォのイヤホンで、その人の名前を音声で確認し、相手に名前で呼びかけられるようになるかもしれません。これらを本当に実用的に、完成度を上げるのは相当難しいでしょう。また、対人関係の文化の変化を待たねばならないかもしれませんが、可能性はあるでしょう。もしかすると、相手の声音をAIに覚えさせ、認識させて、「だれだれさんですよ！」と、イヤホンの音声か、連携したスマートデバイス（スマート腕時計など）に名前を表示してくれるほうが実用的かもしれません。いずれにしても、十分な実証評価実験が必要です。

認識した後、他のサービスや技術と組み合わせて少し捻ったサービスを考え、新しいご利益を生み出すための工夫をするのも、ビジネスでは重要です。たとえば「様々な分野の製品の画像からメーカー名、型番を推定」というだけでは、全然マネタイズできそうな感じがしません。でも、そのAIの活用目的を少し捻って、「他製品と誤認されにくいデザインを選定する」としたらどうでしょう。デザイン盗用の訴訟を未然に防ぎつつ、製品の売れ行きを伸ばすデザインを効率よく選べるとなれば大きな経済的メリットが期待されます。

第3章　IoT、5GとAI：デジタル社会のインフラ

IoTに欠かせないAI

生み出される膨大なビッグデータ

人工知能、特に、今回の第3次AIブームの立役者であるディープラーニングは、ビッグデータに支えられて性能を発揮しています。また逆に、人手では分析しきれないビッグデータの解析には、道具としてAIを使うしかない、という相互依存の関係があります。IoT（Internet of Things）では、人口よりはるかに多いくらいのセンサーを対象物に取り付け、それが常時大量のデータを吐き出すようになります。そ

のビッグデータは膨大すぎて人手で解析するのは最初から不可能。ＡＩが必須となってまいります。

企業から見た消費者接点のリアルタイム化だけでなく、消費者自身の活動においても、ＩＣＴ、情報通信ネットワークのリアルタイムでの反応が求められるようになってきました。一般消費者は、何人もの忠実な秘書に３６５日24時間、仕えてもらったりしないので、センサーや、スマートウォッチなどを介して行動データを発信し、自身に必要な情報、サービスを選んで、レコメンド、配信してもらうようになります。プライバシー保護とのトレードオフはありますが、身近なあらゆるものがインターネットにつながってデータを受発信することによる利便性は計り知れないものがあります。これが、ＩｏＴの時代です。

ＩｏＴ＝Internet of Things とは、直訳すれば「モノのインターネット」。従来は、ネットと、その向こう側にいる人やコンピュータ（ウェブアプリを提供するサーバーなど）と自分を媒介するのがインターネットでした。それに対して、コンピュータとコンピュータ、いや、インターネットにつながるあらゆる機器同士で互いに（勝手に）やりとりし、自動的にデータを発生、蓄積させていこう、という流れがＩｏＴといえます。

ＩoＴは、１９９９年に、ＲＦＩＤ（Radio Frequency IDentifier）という、近くの電波から電力を得て、自らが何の商品であるかのＩＤなどを送受信する素子の専門家ケビン・アシュトンが提唱しました。ＲＦＩＤ（無線タグ、ＩＣタグとも呼ばれます）は、当時はまだ、読み取り機をかざさなくても使えるバーコードの高級版程度の位置づけでした。そのＲＦＩＤがインターネットにつながったときに社会を変革できる可能性に気づき、ＩoＴのビジョンを前世紀末に描いたアシュトン氏の先見性は素晴らしいと思います。

ＲＦＩＤは、長波（ＬＦ）から極超短波（ＵＨＦ、９００MHz）、マイクロ波（２・45ＧHz）を使い、電波の波長により数センチメートルから数メートルの範囲で通信。ＲＦＩＤチップ本体の大きさは、０・４ミリ角と、小さな砂粒大のものもあり、製造コストは数円程度になります。

その存在が見えない形で、財布に入るＩＣカード、紙ラベル、リライトカード（何度でも消して書けるカード）、キーホルダー、リストバンド、ランドリータグ等々に埋め込まれています。これらは、数十円から３００円程度（１０００個発注の場合）で、ネットでいつでも購入できます。身近で意外な形状としては、ネジや、プラスチック製の押ピン、結束バンドにもＲＦＩＤが入っていたりします。

図表3-1　IoTの構成要素

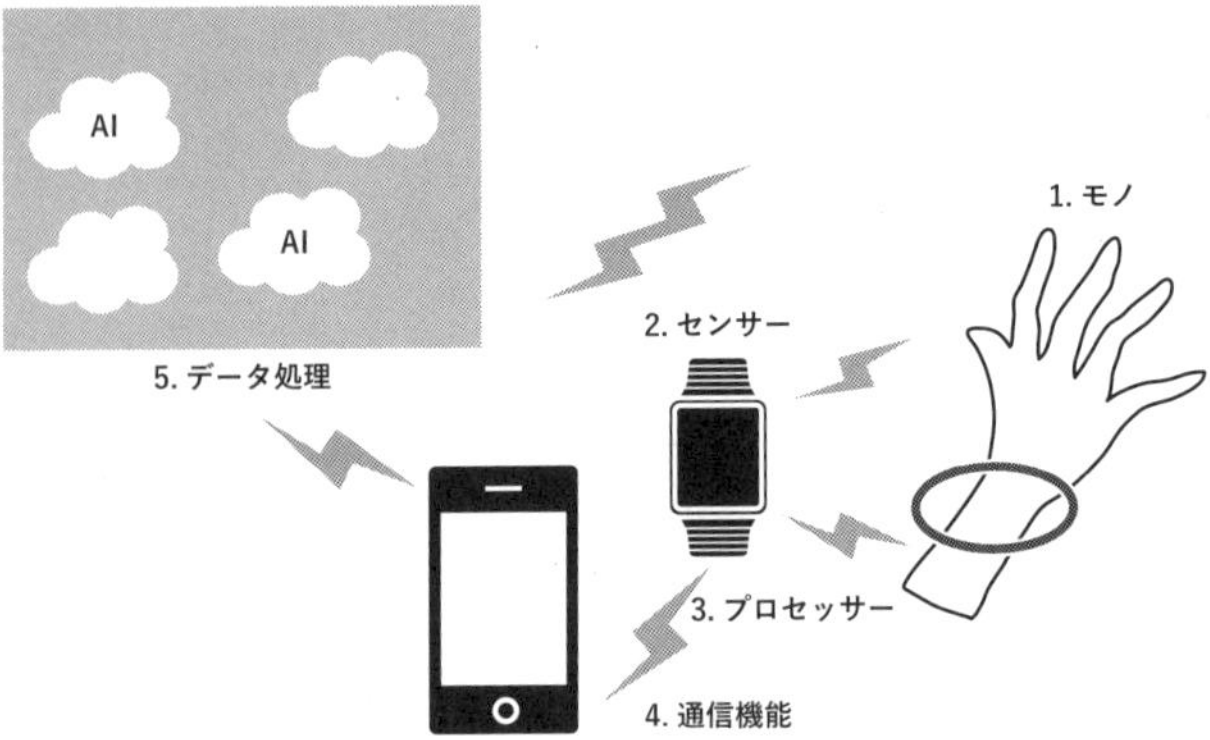

（出所）筆者作成

モノに密着し、埋め込まれたＲＦＩＤや、温度（体温）、湿度、振動（脈拍など）などのセンサーに加えて、ＩｏＴの基本的な構成要素には次のものがあります（図表３－１参照）。

まず、「１．モノ」です。人間が介在しないＩｏＴではありますが、それは、この「１．モノ」と、「２．センサー」が合体した端末の存在を意識しないで済む、という意味です。ですので、「１．モノ」が人体、手首などの人体の一部であってもＩｏＴ端末の構成要素となり得ます。人間の体内を通る薬の錠剤や人工臓器がＲＦＩＤ付きのＩｏＴになることも可能でしょう。

微小電力でいくつかの専門機能に限ってひたすらデータを送受信するだけとはい

え、そこには「3．プロセッサー」も必要です。そしてもちろん、「4．通信機能」が必須です。「4．通信機能」は通常、半径数メートル以下の中継器や、近寄ってきた人のもつスマートデバイスなどまでの短距離を、一つひとつのIoTデバイス（1、2、3、を完備）が、少量のデータを送るものです。図にあるように、今後はスマートフォン（スマフォ）が、一昔前のスーパーコンピュータ並みの強力なプロセッサーの処理能力を活かして、クラウド上の「5．データ処理」を仲介するケースが多くなるでしょう。Apple Watch とiPhone の役割分担のように、です。Wi－fiの低消費電力化も期待されます。2030年代以降にスマフォがあるか？　と問われたら、ないかもしれないというのが適切な回答でしょう。ですが、身につけたり皮下に埋め込んだりして携行する何らかのデバイスが、現場のIoTデバイスと通信、連携し、処理を分担しつづけることは間違いないでしょう。

当面は、AIはクラウド上に置かれるでしょうが、少なくともプロセッサーの処理能力という点では、すでにスマートデバイスにもAIが搭載可能となっています。図の中でAIを「5．データ処理」を担うクラウド上にのみ描いたのは、一つひとつのIoTデバイスが出力するデータはごく少量なことが多いためです。ビッグデータの統計処理や機械学習をスマートデバイスが直接行うことには少々無理があります。たとえば、数十人分の毎日の体温を年単位など長期間にわたって蓄積し、再利用可能な形で保管しつつデータマイニング、分類や異常検知を行う。このような機能、そのための機械学習や自動分類などは、いかにもクラウド上の高速大容量コンピュータ（サーバー）が向いています。

しかし、学習に膨大な計算が必要なＡＩも、学習済みであれば、未知データひとつを認識、判定するにはわずかな計算パワーで済みます。学習結果は数百ＫＢ程度以下とコンパクトなものが多いので、ますます、スマートデバイス上に配置されるようになっていくことでしょう。現場で大きな画像や動画の名前や動きパターンを認識してしまえば、その結果の小さなデータだけ送信することでネットワークの負担をを激減させることもできます。２０１０年代後半以降、ＡＩ機能に特化した半導体チップがスマフォなどに搭載されつつあることもこの傾向に拍車をかけています。

ネットに接続されるデバイスの劇的増加にも耐えられる

ＩｏＴで大事なのは、具体的にどのように生活様式やビジネス・スタイルを変革してくれるか、です。その変化、革新を持続可能なもの、永続的なものとして支えるビジネスモデルは、さらに重要、といえます。

筆者が印象的に感じた事例のひとつは、ドイツのソフトウェア会社による、ビアガーデンやレストランでの生ビール消費のリアルタイム監視です。ビール・サーバーから、複数の注ぎ口へと結ぶチューブの途中に、ビールの流量を1滴単位で計測できるセンサーを取り付けます。これが、単位時間あたりのビール消費を刻々とクラウド上のコンピュータに伝えます。そして、在庫補充のタイミングを最適化して品切れを防いだり、鮮度の高さを維持しつづけるのに役立ちます。複数種類のビールの売れ行きを、曜日や時間帯、客層間で比較して仕入れる種類を最適に切り替える、などの複合データ処理も可能となるでしょう。

オランダの電気機器メーカー、フィリップスのLED電球「ヒュー（Hue)」は、IoT機能により、スイッチのオン／オフや光量、色合いを遠隔制御できます。紐づけされたスマフォをもった「ご主人様」が玄関に近づいたら自動的に点灯したり、夜間、怪しい人影（玄関マットの体重センサーがトリガーでもよいですが）が現れたら、顔識別のために点灯させたり、といった応用が可能となります。さらに、近所や遠隔地の別の電球や他のIoTデバイスと連携して、何か楽しい電飾、遊具との連携などができるかもしれません。

日本国内の例では、JR東日本の山手線E231系の床に備わった重量センサーや気温センサーで混雑状況を把握し、空いている車両を乗客に案内する事例がありま す。また、ここ20〜30年の間ブームが浮沈した「情報家電」では、いつも「インターネット冷蔵庫」が語られました。ネットを介した自動発注、宅配の仕組みと連動すれば、消費期限切れを避けて食材を無駄に捨てる頻度が減るでしょう。賞味期限内に美味しいものを食べつつ、常に適正在庫を維持できることでしょう。

一見大げさで、贅沢に見えようとも、RFIDと同様、量産されれば劇的にコストが下がります。IDCが予想したように、2025年のIoTデバイス数が世界人口の4倍規模の416億台に達しても、インターネットの仕組みにはまだ何十桁も余裕があります。IPv6という、インターネットにつながる端末を識別する仕組みは、2の128乗個（約340澗《かん》個）と、かつてのIPv4（224.209.xxx.xxx のように記述）の約43億個をはるかに超えています。実際に、地球上の目に見えるすべての物体に対してIPが割り振れます。地球上のすべてのチリやホコリをインターネットに結びつけることさえ原理的には可能な数です。陸上だけでなく、海面まで含めて、地球の表面積1センチメートル当たり約6670京個のIPアドレスを割り当てることができます。これは、事実上、無尽蔵と断言してよいでしょう。

機械がソーシャルに参加

「ソーシャルマシン」という言葉があります。IoT機器が、もともと人間用のSNS、ソーシャルメディアに参加するイメージです。モノ、特にある程度複雑で自律的に動けるような機械や道具をインターネットに結びつけたときに、人間とのやりとりを自然で、分かりやすく、便利なものにしたい。特に、人間側が無理に機械に合わせて新しいインフラに慣れて、覚えることを不要にしたい。そのためには、人間同士がネットを介してリアルタイムで密接にコミュニケーションするSNSをそのまま機械にも流用したらよいではないか、というアイディアがあります。特に、「顔」のような外観も備え、「愛車」「愛機」と呼ばれることもあり、人によっては名前を付けてしまうこともあるような機械ならSNSにも歓迎されるのではないでしょうか。「彼ら」を擬人化し、SNSのIDを与えて参加させたらよいではないか、というアイディアです。

企業向けの業務アプリをクラウドで提供してきた先駆者であるセールスフォース社は、チャター（Chatter）という社内ツイッターのような製品（リアルタイム性の強いSNS）を無料で提供していました。中核製品、SFA（Sales Force Automation）というアプリによる情報共有をより効果的にする目的だったと思われます。このチャターにトヨタ車を人間と同様に加入させる、というアイディアを出したのは、マーク・ベニオフ会長によれば、トヨタ自動車の豊田章男社長自身だといいます。

社内SNSの場合は、たとえば、こんなご利益が考えられるでしょうか。わざわざ人間が連絡、確認の労をとらなくとも、タクシー会社の全タクシーの燃料残の状況や、急加速、急減速の状況が自動的に各人、もとい各車のタイムラインに投稿される。そして、注目している車両について、マネージャーが優先的に、勝手に自分のタイムライン上で状況をチェックできるようになる。これを、車載カメラが捉えた、インシデント前後の画像、映像、音声付きで行ってもよいわけです。

個人の愛車の場合は、可愛く「お腹すいたんだけど、ちょっと2分だけ寄り道して給油してくれませんか？　ご同乗の◯◯さんの休憩にもなりますよ〜」と控えめに投稿することも考えられます。まだガス欠寸前ではないときは、ご主人様が気づいてくれたらいいかな、という程度にSNSで独り言にしておいて、次第に、リアルタイムで確実に確認できるメッセージを、最後は音声に切り替えて会話に割り込む。このようなインタフェースもソーシャルメディア、インフラの発展形で可能となるでしょう。

そのうち、ほしい車選びをするにあたって、乗車体験ブログなどを読む以上に確実な方法としても、クルマの発言が参考にされるようになるかもしれません。友人の車と対話したり、自家用車の独り言の記録を読み、VR映像で疑似体験してから人々が車を購入するようになれば自動車メーカーはクルマの対話能力を必死に磨いてくることでしょう。さらに先の未来には、自家用車がご主人の乱暴な運転についてグチを言ったりするまでにAI的な進化を遂げる日が来るでしょうか。

自動運転車のさらに未来にある、意識をもって自律的に走る人工生命体のような自動車を、SF作家アイザック・アシモフが描いています。『サリーはわが恋人』というSF小説です。人格をもった自動車が老朽化してリタイアした後の「養老院」を描いています。遠い将来、機械がSNSで疑似人格をもって人間と対話するだけでなく、機械同士が、ときどき人間も仲間に入れてあげつつ複数間で対話をし、社会的な活動をするようになるでしょうか。

SFの内容がそのまま実現しなくとも、このようなSFをヒントに、未来ビジョンを描くことができます。たとえば、互いに連携する複数のAI搭載の自家用車に分乗して、渋滞を乗り越え、道を間違えずに正しく同じ目的地にたどり着くなどのイメージです。車と車が互いに、最新状況、抜け道などの情報をコミュニケーションして、お互いに良きに計らってくれたら大変便利になることでしょう。これは、別に運転を自動車に任せた自動運転車でなくとも実現可能なので、ぜひ実現して、複数台の大人数ドライブで、楽しさを演出してくれるようになったら、と望みます。

5G時代のAIの置き場

無線ネット接続が今よりずっと高速、大容量、そして、応答までの時間遅れがほとんどなくなる（低遅延になる）とどうなるでしょう。データ量や距離の制約から解き放たれ、IoTは劇的に進化します。これらは、5Gの特長です。その次世代、6Gになると、高速、大容量、低遅延という5Gの三大特徴がさらに進化します。

5G無線通信ネットワークの特徴、「売り」の分かりやすい例として、映画1本を数秒でダウンロードできるという高速・大容量ぶりがよく言われます。ただ、IoT機器間の連携や、自動車とのリアルタイムの通信で大事なのは、「低レイテンシー(low latency)」と呼ばれる、通信の応答時間の小ささです。タイムラグが桁違いに小さくなることが非常に重要です。先述のようにサービスのリアルタイム化では、通信のタイムラグが最大のネックになりがちです。遠隔手術や、居間にいながらにしてコンサートに参加する、高速道路上で前方の自動車群の動きを把握、認識し、次に起こる事態を予測する。これらの目的にとって、通信に何秒も時間がかかっていては使い物にならず、危険です。

従来通り、ＡＩの「置き場」がクラウド上にあると、途中、４Ｇかそれ以下の通信速度を経由して遠くのサーバー上のＡＩの判断に「お伺い」を立てることになります。これでは往復に秒単位以上の時間がかかり、上記の低レイテンシーは達成できません。そこで、比較的近所の５Ｇだけで到達できる現場近くにＡＩ搭載のサーバーを移してこようという話になります。このように、利用現場に比較的近い場所に置いた低レイテンシーのサーバーのことを、「エッジサーバー」と呼びます。リアルタイム性が求められる応用用途では、「クラウドからエッジサーバーへ」という、ＡＩ機能のお引っ越しが進むことになります。

このような進化に加えて６Ｇでは、超精密な位置情報などのセンシング能力の向上が実現します。これにより、ＩｏＴインフラが国土、社会の隅々まで張り巡らされた神経のようにはたらき、リアルタイムの現場状況の把握や、機器の精密な制御に使わ

図表3-2　5Gから6G時代のIoTインフラ

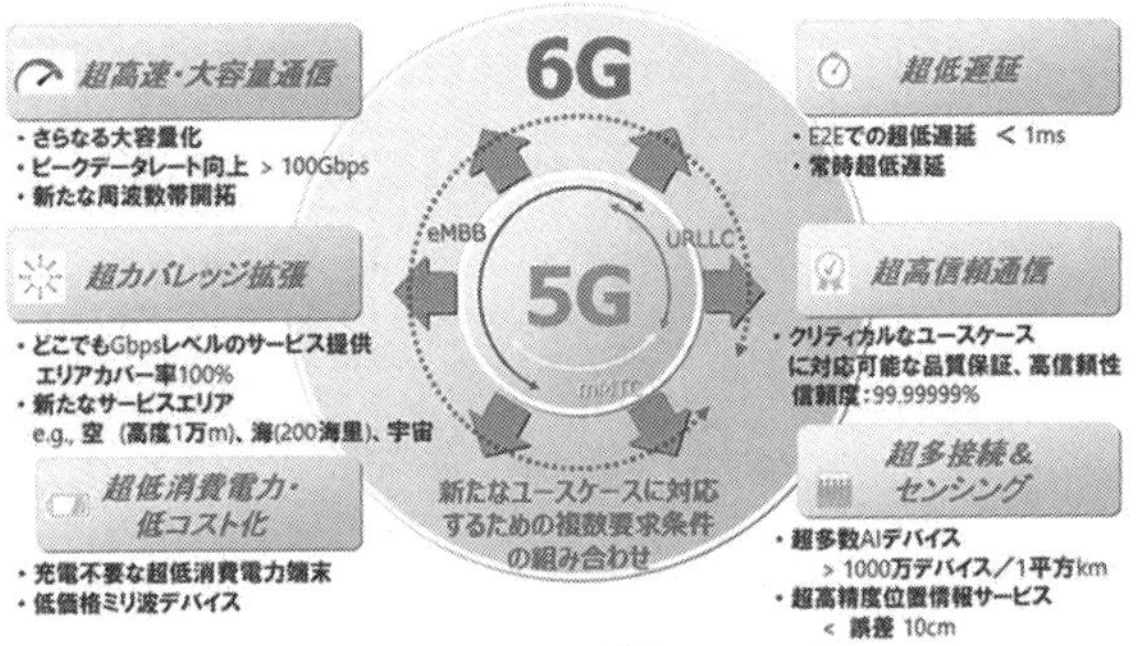

5G evolution, 6Gの技術コンセプト

（出所）NTTドコモ発表資料：「ドコモ、6Gに向けた技術コンセプト（ホワイトペーパー）公開」
https://www.nttdocomo.co.jp/corporate/technology/rd/docomo5g/20200122_01/index.html

れることになるでしょう。AI機能も広く分散して搭載、実現されるようになり、スマフォに代わる末端の機器の性能も向上してAIの判定や一部学習機能を担うことになるでしょう。この現場でのAI機能がセンシング能力をさらに高度化し、整理された情報が、国家レベル、いや、超国家レベルでリアルタイムで集約されること、そして、人類の福祉のために活用されることを期待したいと思います（図表3－2参照）。

第4章

サービスの生産性向上は待ったなし
：ＡＩが劇的に不定形データの分析を高速化し、経営を支える

サービス提供がモノ製造と根本的に違う点を、図表２－３で確認いたしました。サービス提供の事業計画には、このような違いを踏まえるとともに、経営の基本を押さえる必要があります。まず、根本的に何をやりたいか事業ドメインを定義すること。そして、環境要因、組織内外の弱みと強みを分析（ＳＷＯＴ分析）。新規市場・新規商品をどう扱っていくかを決断して成長戦略を描く。そして、新規事業に収益性があれば必ず現れる競合に対抗する戦略を練るためのポジショニングマップを描いた上で、マーケティングなど個々の戦術に落とし込んでいく必要があります。本章ではサービスの生産性向上、品質向上のために顧客の声などの不定形データを分析して経営を改善するのにＡＩを活用する姿を追います。

顧客の声をどう捉えるか？：不定形データの分析にAIを活用する

顧客の声を数値化

ここで、企業がAI型のソフトウェアを用いて分析すべき不定形データの代表として、「顧客の声」（VoC：Voice of Customer）を取り上げます。VoCを様々に数値化し、AIが意味をある程度「理解」することで、定量分析に加えて、定性的な発見をもたらすことができます。そのように工夫されたソフトウェアの一例として、メタデータ社の「AIポジショニングマップ」というソフトウェアでできることを眺めてみます。このソフトウェアは、データ・サイエンティストと呼ばれる分析の専門家向けではなく、現場の優れた業務担当者が直接使えるように設計されています。彼らが現状の問題点を潜在的、顕在的に意識し、血肉となっている業務フロー改善、改革への問題意識をもって使えば、必ずや、経営上の意思決定をも左右する重要な知見や定量分析結果が出てくるでしょう。

図表4－1に、派遣会社6社の登録スタッフに対するアンケートへの自由回答約1万件を、AIに意味解析させ、自動的に分類した画面の一部を示します。派遣会社に

図表4-1　派遣スタッフアンケートをAIで意味解析し 10種類に自動分類した例

ID	年度	年齢	性別	居住地域	ネガポジ	本文	分類結果
0006	2014	20代	男性	静岡県	2	決めるときは早かった。アベノミクスの影響で自動車関係だったのでかなり条件がいい。他より一割から二割増しだった。	T1
0011	2014	20代	女性	愛知県	3	担当営業の質の良さ	T8
0019	2014	30代	女性	愛知県	1	スタッフの方々の対応が丁寧である。就業後も月1回のペースで面談に来てくれるので、相談しやすい。	T2
0034	2014	30代	女性	静岡県	2	とても親身で信頼できる	T8
0036	2014	40代	女性	愛知県	1	案件の数がとても多い。他で働いている今も、定期的に紹介のメールや電話がくる。たくさんの選択肢があり選びやすかったし、時給の良い案件が多かった。実際に仕事を紹介してもらった時は、担当営業の女性がとても頼りになる人で、困ったことがあってメールや電話で相談すると、すぐに面談に来てくれて顧客側に交渉等もしてくれた。福利厚生も充実していた。	T4
0037	2014	40代	女性	愛知県	-1	とても親切にサポートしてくださり、困ったことは何もありませんでした。事情があって急に退職しましたがよく協力してくれました。いた期間が短いので研修等活用できず残念でした。また健康診断を受けるつもりだったのですが、年に1度でちょうど受けられませんでした。	T2
0047	2014	20代	女性	愛知県	2	信頼は出来た	T8
0067	2014	20代	女性	静岡県	3	登録してから短時間で仕事が決まったので良かった。	T3
0069	2014	20代	女性	愛知県	1	他社よりも時給がよかった。営業マンの方は忙しそうで、対応があまりよくない時もあったが、全体的には満足しています。	T1
0101	2014	30代	女性	愛知県	0	営業の人が頑張っている印象	T4
0102	2014	30代	女性	愛知県	2	パソコンの研修が無料で受けられたことが良かった	T7
0103	2014	30代	女性	愛知県	0	面接に何回か落ちても、気にせず次々に仕事を紹介してくれた。子どもがいることで不利な面もあったが、それは気にすることない、と励ましてくれた。	T4
0104	2014	30代	女性	愛知県	1	なんでも相談できる雰囲気があり大変良かったと思う	T8
0169	2014	40代	女性	愛知県	1	メールなどでの仕事の紹介案件メールがとにかく他社より多いので、とても便利。	T8
0206	2014	20代	女性	愛知県	1	仕事のフォローをすぐにしてくれた	T3
0212	2014	30代	男性	愛知県	2	情報が多くよかった	T0
0234	2014	30代	女性	愛知県	0	特にない	T6
0235	2014	30代	女性	愛知県	0	とくにない	T6

（出所）メタデータ社

とって、登録スタッフは社員のような存在でもあり、顧客、あるいは商品ということもできます。ですので、彼らの声は、顧客の声（VoC）と「従業員の声」（VoE：Voice of Employee）の中間、両方を兼ねているようなもの、ということができます。自由回答には、ほんの数文字、1行程度の短いものから数百文字までのバリエーションがあります。

AIが自由回答テキストを全自動で解析、集計：人は高度な分析に専念

AIが意味を踏まえた解析をしてくれると、人間が何千枚、何万枚のアンケート自由回答を何度も熟読して集計する作業の大半が不要となります。AIは、機械学習や意味分類を活用して全自動でテキストを分類することができます。似た振る舞いをする言葉をグルーピングして、結果的に意味の似ている度合いを機械学習させ、数百万の類似箇所をあっという間に見つけることもできるようになりました。

図表4－1で、担当営業さんへの「信頼」をトピックとした自由回答は、たしかに、5本ともT8に分類されています。分類結果のT0〜T8の「T」は、トピック（Topic）の略です。T8には、営業担当の信頼性の話題が集約されています。同様に、T4には営業マンが仕事の紹介を頑張っている記述、T1には経済的条件が良い

とする記述、T2には対応、サポートの良さ、T3は仕事が決まるまでの速さの記述が、各々集約されています。

大事なのは、共通単語がひとつもなくとも、表記が違っていても、意味が近ければ同じ分類にすることができている点です。

機械学習エンジンは、意味カテゴリの出現頻度のパターンから、適当な初期仮説を生成して、全記事をざっくりと所要の分類数、ここではT0〜T9までの10種類に分けます。その後、果たしてこの分類T0〜で、

- 分類間の違い（距離）が十分大きいかどうか
- 分類内の違い（距離）が十分小さいかどうか

何千回も評価を繰り返しては、初期の分類を少しずつ修正していきます。

その結果、ほぼ収束した、と判断されたものを分類結果として出力します。各分類、T＊にマウスをかざすと、その分類結果に貢献した意味カテゴリが上位から最大10件表示されます。

人間と機械の得意技を合わせて短時間でポジショニングマップを描く

競合に対する戦略を立てるのに役立つ

自社の強みと弱みを社内外の要因ごとに分けて記述するSWOT（Strengths, Weaknesses, Opportunities, Threats）分析のチャートがあります。そこでもう少し的を絞り、SWOTチャート中で挙げた中から、性能、デザイン、価格・コスパなど、競合との差別化につながる重要な評価軸を2つ選んでX軸、Y軸に定量的にプロットします。これがポジショニングマップです。対競合戦略を描く上で最も重要な経営ツールといえるでしょう。

図表4－2に一例として、派遣スタッフの自由回答から時給、福利厚生を含むネガポジ（肯定的・否定的）で描いたポジショニングマップを示します。これは、約1万人の派遣スタッフから寄せられたアンケート自由回答を自動解析した結果から作成したものです。X軸は経済面での待遇を代表する「時給」「給料」、Y軸は非経済的な待遇「福利厚生」「保険」「休暇」を示しています。ほかにもパワハラ的でない和気あいあいとした雰囲気など、多数の就業にまつわる属性が考えられます。X軸、Y軸それ

図表4-2 派遣スタッフの自由回答から時給、福利厚生を含むネガポジで描いたポジショニングマップ

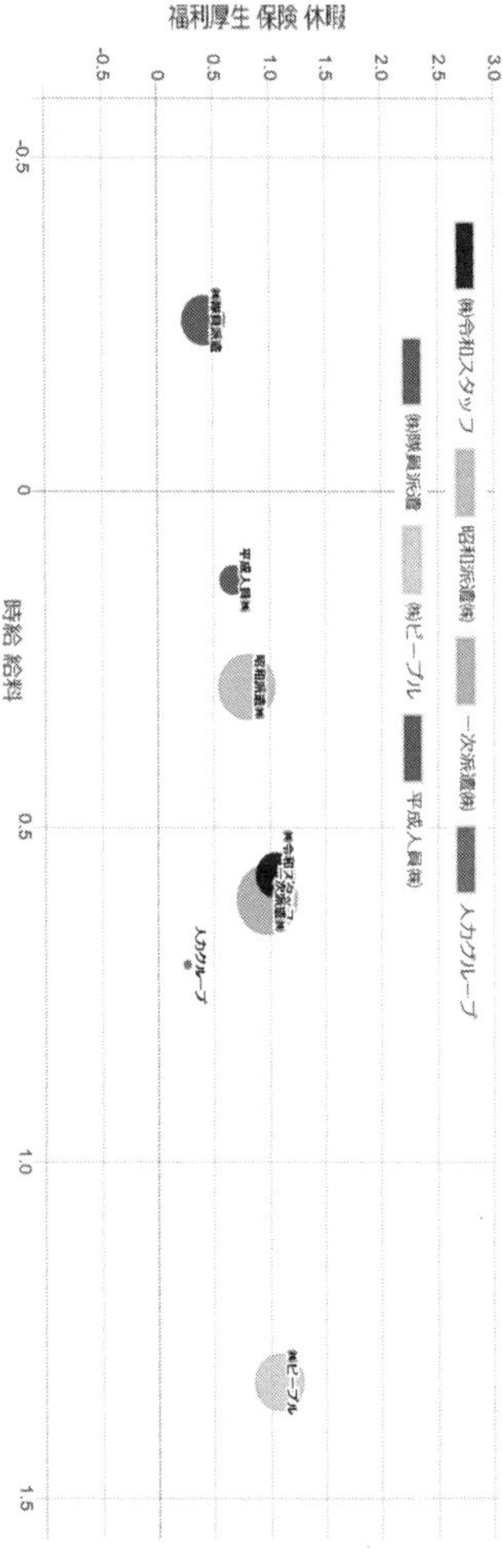

(出所) メタデータ社

ぞれに言及した自由回答の文章を自動解析して、ネガポジの度合をマイナス3・0からプラス3・0まで7段階で判定した平均値でプロットしています。

このポジショニングマップから素直に読み取れることは、「全社、福利厚生系のY軸の要素では平均点はプラスでマイナスはない。X軸の時給・給料の軸では（株）隊員派遣を除いて平均点はプラス。該当数の少ない（円の面積の非常に小さい）人力グループを除いて、最下位の（株）隊員派遣から（株）ピープルまで緩やかな右肩上がり。正の相関を示している」となります。

最後の、右肩上がり、正の相関ですが、これは妥当でしょうか？　ここで経営、経済、社会の常識を適用すると、「福利厚生も時給も原資は同じ、すなわち同じひとつの財布から出ている。そこで、あちらを立てればこちらが立たずで、本来は、左上から右下に下がる、負の相関があるはず。なぜ逆になっているのだろう？」という疑問が湧きます。そこで、特徴的な（非常にポジティブな評価や、逆にネガティブな評価に注目するなどして）生データを読み込んだり、別の経営指標（バランスシートなど）を参照するなりして、その原因、理由を探りはじめます。

多くの機能や魅力を備えた商品やサービスの良否、長所短所を左右する属性は数十、数百あるでしょう。法人の属性、個人の属性など、文字通り五万とあることでしょう。これらが皆、ポジショニングのX軸、Y軸の分析軸の候補になります。その2軸の組み合わせは2乗の数だけバリエーションがあり、たちどころに数千通り、数万通りのマップが描き得ることになってしまいます。これら全部に、人間が眺める価値があるわけではありません。特に、競合を表す円が全部一ヵ所にほぼ重なってしまったら、その2軸の組み合わせは競合どうしを差別化することができず、この意味で有意義でなかったことを意味します。本来差別化されてしかるべきだった属性に、その力がなかったことに意味を見出す向きもあるかもしれません。

競合がうまい具合にばらついている場合、空白地帯をブルーオーシャンとして、今後目指すべき方向性ととらえられることもあるでしょう。従来、宿命のライバルと思っていたNo.1競合よりも、すぐ手が届きそうな近くにいる、別のライバルを直近の目標にしたほうがいい、と判明することもありそうです。

いずれにせよ、現場で競合と闘いながら営業している人の感覚や、新規商品の開発で競合としのぎを削っている研究開発担当者の感覚、そして、経営者の長年の経験などが重要です。これらを総動員し、有効な分析軸を発見し、精査するに値するポジショニングマップを描くことが重要となってくるでしょう。現場の経験と感覚を頼りに、多種多彩なデータから適切な分析軸を考えて選ぶ。そして、そこから描いたポジショニングマップを、人間ならではの常識、因果関係の判断を交えて読み解くことが大切です。意味を読み解くのは人間の仕事です。

人間の独創性との組み合わせ

この際に、ポジショニングマップの円の部分をクリックして表示される生データを眺めて想像をめぐらすことも大切です。このような定性分析が大きなインパクトを与えた例としてひとつ、ある百貨店についての消費者の声をツイッターなどの公開SNSで調査・分析した際のエピソードを忘れることができません。ネガティブな雰囲気なのに百貨店を褒めているような、年月日など5W1Hの記述をもつ生データを眺めたところ、「誕生日くらい○○百貨店に連れて行ってよ!」という発言が見つかったのです。画面から飛び出し、輝いて見えました。この発言が数十万人のサイレント・マジョリティ消費者のブランドイメージを代表、象徴していることを、行間、背景から読み取ることができました。この百貨店の経営陣はこの一言を見て涙を流し、近く予定していた安売りキャンペーンを中止しました。老舗の高級ブランドイメージが消えていないことを見出し、その温存を図ろうとしたためです。

このような発見や、独創的で優れた分析軸の発見を機械に委ねられるでしょうか?

2020年初頭から見通せる近未来には実現困難と考えられます。しかし、上記のようなポジショニングマップ描画ツールのようなソフトウェアの使いこなしによって、発見のスピード、確率を数百倍に高めるよう支援することは可能です。これこそ、人と機械の得意技を合わせることに他なりません。

図表4－1の派遣スタッフの例では、本部の正社員にインタビューしたところ、本音で経済的条件を最重視する人と、若干時給が悪くとも、パワハラ的な雰囲気のない落ち着いた職場を好む人がいました。また、その両立を切に求める人、などもいました。このような現場感覚から得た常識知識も活用し、仮説を一、二度検証し、時給（X軸）、と福利厚生（Y軸）の相関関係、競合との立ち位置を分析することにしました。負の相関という予想に反して正の相関が見られたことで、これらの派遣会社間で経営力に著しい差があることが分かりました。両方の軸で評判の悪い会社は、両方とも評判を良くしていくべく、大いに経営改善を図る必要があるでしょう。

専任のデータ・サイエンティストは必要か？

ここで、分析との関連で注目すべき話題を2つ取り上げておきます。ひとつは、データ・サイエンティストの存在意義について、もうひとつは、ヒトも機械も苦手なタスクについてです。

最近のAIブームが本物であり、大事に盛り上げていかねばならない、と思う識者が増えたせいでしょうか。筆者のように、第2次人工知能ブームの光と影を眺めて温故知新をする論考が少しずつ増えてきたように感じます。第2次ブームの大きな柱のひとつは「知識工学」でした。スタンフォード大学のE・A・ファイゲンバウム教授が「知識は力だ（Knowledge is the power）」と宣言した後、時を経て、経営分野で、ナレッジマネジメントのブームが巻き起こりました。とともに、人工知能分野では、問題解決を行う専門家の知識を、場合分け規則などの形でコンピュータに実装したエキスパートシステムがもてはやされるようになりました。

このような、ルール（規則）ベースの「人工知能」に、ヒトの脳内にある知識を移植する役割を担うとされたのが、ナレッジエンジニアでした。現場で実際に業務に携わり問題解決をする実務担当者を助け、知識やデータを整備したり解析する専門家です。この意味で、今日のデータ・サイエンティストと似ています。ですので、かつてどんなナレッジエンジニアが成功したかをレビューすることで、データ・サイエンティストという職種の今後を占うことができるかもしれません。

スタンフォード大学のエドワード・ショートリフ氏が開発した感染症の患者に投与する抗生物質について助言するシステムＭＹＣＩＮ（マイシン）がエキスパートシステムのルーツといわれます。彼は自分のシステムにのめりこみ、彼自身ＭＹＣＩＮに知識を投入する過程で感染症の専門知識で卓越してしまいました。ＭＹＣＩＮが並の医師以上の知識とある種の診断能力を備えるようになるとともに、彼は工学部から医学部に移りました。ショートリフが典型的なナレッジエンジニアであるならば、２つ以上の分野で深い専門知識と問題解決能力を備えたごく少数の人間だけがナレッジエンジニアになれることになってしまいそうです。一度機械に移植された知識や診断能力はいくらでもコピーが作れ、世界中で、３６５日24時間仕事ができます。だから、ナレッジエンジニアはわずかな人数で足りるのかもしれません。

時計を現代に進めて、かつてナレッジマネジメントの教祖的な存在だったトーマス・ダベンポート博士が描いたデータ・サイエンティストの資質を見てみましょう。彼は、データ・サイエンティストに対して、非常に厳しい高水準の資質を要求し、世界に数人しかいないスーパーマンを求めているかのような記述をしています。ハーバードビジネスレビュー誌にダベンポート博士が寄稿した有名な論文「データ・サイエンティスト：21世紀で最もセクシーな仕事」（http://hbr.org/2012/10/data-scientist-

ます。

the-sexiest-job-of-the-21st-century/）から箇条書き風に意訳、要約しながら引用し

- 第一に、データの洪水の中で発見を成し遂げられること。
- そのために必要な、不定形データや非定型データを、分析できるように加工できること。必要に応じて別の情報源、データを探し当て、既存データと、クリーニングしつつ整合性をとって統合できること。そのためにツールを駆使したり、必要なら自家製ツールを作るべく、プログラミングできること。
- 分析結果を意思決定者に正しく理解させ、意思決定に貢献できること。そのための優れたコミュニケーション能力を備えていること。技術面ではデータの可視化、視覚化を適切に行えること。
- 定量的な科学研究に必要な資質を備え、常時、新たな知識を取り入れ、スキルを獲得しつづけること。

上記の資質をすべて備えたスーパーマンは、滅多にいないでしょう。優秀な大学で有能な研究者のキャリアを積みつつ、企業の中間管理職として抜群な能力も備え、現

役のプログラマーでもありつづける。さらに、膨大な量のデータを眺め評価してもへこたれない知的体力と、それらを扱い、評価できるようにする発想力が必要です。中途半端な職業訓練で、特定のソフトウェアの使い方や統計データの読み方を習っただけの俄か分析者ではデータ・サイエンティストの名に値しない、と述べているようにも聞こえます。

そうであれば、データ・サイエンティストという専門職を外部から新たに雇用して業務を覚えてもらったりするよりも、現場の熟練者が容易にデータ分析ができるようにするほうが早いのではないでしょうか？　たいして学習時間を費やさずにすぐ使えるようなＡＩ応用ソフトウェアを開発し、活用することになります。そのほうが、効率よく、優れた業務分析を行い、そこから得られた知見を経営判断、事業展開に活かしやすくなるのではないでしょうか？　最初の何回か、ＡＩ応用ソフトウェアを開発したベンダーや有力代理店自身に分析を手伝ってもらい、その分析結果を引き継ぐようにします。そうすれば、分析ノウハウの移管も進み、ソフトの改良にもつながるはずです。

データの品質確保が大きな課題

業務分析の領域で、人間と機械の役割分担が少し見えかけたところで、実は、現状、ヒトも機械も苦手なタスクが存在することを振り返っておきたいと思います。たとえば、OCR文字認識の後処理・修正というのがあります。画面を見ていて「ソフトパンク」という誤認識結果を見逃してしまったりすることがあります。前後が「ソフトバンク」となっていたり、ビジネス系の言葉で埋め尽くされていたりすれば、機械による、いわゆる「知識処理」でリカバリーできそうです。しかし、膨大な可能性、候補の中から、文脈や利用局面から最適なものを自動選択できるようにするにはまだまだ長い時間がかかりそうです。全自動の仮名漢字変換システムが脳内思考を先読みして100%の精度を達成する日は来なさそう、という事情に似ているかもしれません。

かな漢字変換の場合は、人を支援する絶妙のユーザインタフェースが練り上げられており、精度がそこそこでも大多数の人は満足できる水準にきています。そこで、進歩がしばらく停滞していた感がありました。しかし、最近は変換用例ビッグデータのリアルタイム共有、そのエッセンスの詰まったクラウド辞書の活用で、体感精度は向上しつつあります。辞書の知識のような普遍性のある知識は2020年初頭時点でのＡＩはまだ自動獲得できていません。ですが、言葉の振る舞いの違い、ひいては意味の違いをおさえたＡＩは少しずつ実用化に近づいています。

そのような進化のための学習、トレーニングをディープラーニングに施す際にも、ノイズ処理の手間、困難が大きく立ちはだかることがあります。こんなとき、異種の学習アルゴリズムを複数併用し、両者が正解としたものを人間が見ずにとりあえず仮正解とする手法があります。こうして普段は多数決で運用し時々人間が効率的にチェックしながら精度を上げていく、といった方法が現実解になります。

次の章でＣＮＮ（Convolutional Neural Net：畳み込みニューラルネット）について紹介します。このタイプのニューラルネット（ディープラーニングの一種）の使いこなしで、データをモデル化する際にも、様々な試行錯誤が必要となります。たとえば、画像認識タスクで、何が必要な、有効な特徴量で、何が無効な、ノイズとして作用する特徴量であるかは、一般に、実験前には分かりません。数百枚程度の画像を目視、精査し、「猫の特徴の８割は顔に現れているのではないか？　模様の違いは種類の特定に意外に影響しないようだ」などの洞察、仮説を得ては、試行錯誤する。様々に学習データを加工して精度の変化や誤りの傾向の変化を見る、という忍耐強い作業の繰り返しが必要になります。企業などから、たまたま早期に良いデータセットを入手できた研究者は「勝ちデータ、ゲットだぜ！」と言って、運の悪い同僚を悔しがらせたりもします。このように、最先端のＡＩ研究開発の現場でも、データの品質向上のため、泥臭い「ノイズとの戦い」が繰り広げられている、と認識していただいてよいと思います。

第5章

ディープラーニングとは何か？：正確な認識をもとう！

この章では、第3次ＡＩブームの立役者であるディープラーニング登場の背景、その意味を考え、人間、社会へのインパクトについて考察します。ディープラーニングは、かつて画像認識で精度が他方式より劣っていたニューラルネットの改良版です。２０１０年頃から表舞台に登場しました。その前後から、スマートフォン（スマフォ）が急速に普及していき、世界のＩＣＴ（情報通信技術）環境が様変わりしました。こうして人々がビッグデータの恩恵にあずかれるようになったことが、大量データを必要とするディープラーニングの発展に拍車をかけています。

撮影したデジタル写真の整理など、ビッグデータを自動的に整理する身近なニーズが急拡大しています。そのようなＡＩが求められるようになった状況で、ディープラーニングの活躍の場が広がっています。画像だけでなく、音声や文章など、大量のデジタル数値で表現されたデータも対象に加わっていきます。「自意識」「意思」「自発性（意識をもった知的存在らしい本物の自律性）」や、責任感・倫理観などを備えた「強いＡＩ」については当面産業応用を考える段階ではありません。しかし、視覚、聴覚、ある種の長文読解をかなり代行できるようになった「弱いＡＩ」こそ、強力な道具です。うまく使いこなせば、人間を不毛な単純作業から解放し、生産性を向上させて産業界に大きな影響を与えるポテンシャルがあります。

ビッグデータの急拡大

圧倒的に増える画像データ

ＡＩの発展にはビッグデータの絶対量も大事です。無視するわけにはいきません。画像ビッグデータが社会、家庭、個人生活に浸透してきています。なかでも、巨大なソーシャルメディア上の画像の量は膨大です。２０１１年9月の時点で既に、画像共有専門のグローバル・サービスの老舗フリッカー（Flickr）と比べてフェイスブック（Facebook）上の画像のボリュームは、数百倍以上となっています。

図表5-1　世界最大級の画像ライブラリはFacebookというSNS

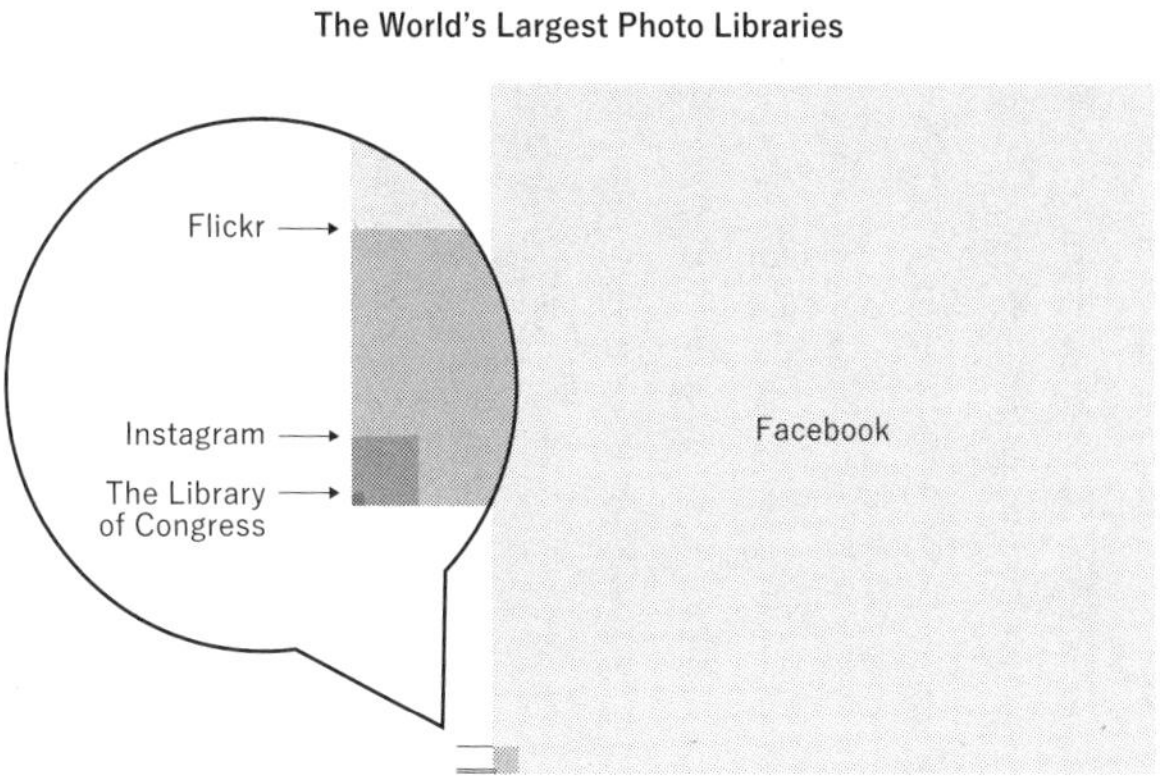

Source: 1000memories.com（Sep 2011）

図表5－1「世界最大級の画像ライブラリはFacebookというSNS」が視覚的に規模感を表しています。図中の拡大部分を見ると、そのフリッカーと比べて、当時まだ開始1年後だったインスタグラム（Instagram）は数十分の一の規模でした。当時まだよちよち歩きだったインスタグラムと比べても、米国国会図書館の所蔵する写真の量は100分の1程度しかない、という比較イメージです。フェイスブックやツイッター、ラインなどの投稿も、複数写真をまとめ投稿できるようにしたなどの工夫のおかげもあってか、ほぼすべてを写真に語らせる投稿が増えています。すなわち、本当に写真のみの投稿や、写真に加えて「これ

だよ」とか、せいぜい「これ良いね」としか書いておらず、写真の中身を解析しないと、何が言いたいか、さっぱり分からない投稿の増大です。

日本にはあまりユーザがいないようですが、フォトバケット（Photobucket）という写真共有サイトには、数百億枚の写真があり、1億人以上の登録会員が毎日400万枚の画像や動画をアップロードしているとのことです。もっと気軽に、スマフォから簡単におしゃれな写真に加工して投稿できるインスタグラムには、毎日8000万枚の写真が集まっているといいます。業務目的では監視カメラや車載カメラが毎秒10コマ～30コマの撮影をしつづけており、さらに桁が違う量の画像データが生成されています。今後、ドローンや陸上走行ロボット、海中遊泳無人潜水艦などが気軽に自動的に撮影したものもクラウドに集まってくることを考えると、画像ビッグデータの成長はますます加速していくように思われます。

上述のように、今日誰でもアクセスできる画像ビッグデータは、流量（フロー）の点でも、蓄積（ストック）の点でも圧倒的な規模になっています。フィルムカメラからデジタルに移行して、別に写真が趣味でもない人でさえ、自己アピールのために、自撮り棒などで平気で1日に数百枚、猛者になると数千枚の写真を撮るようになっています。ユーザの声を集めたカメラメーカーの人も、ユーザはほとんど自力で写真を整理するのを諦めている、自分たちは罪作りなことをしているかもしれない、と認めます。個人生活で、自分が撮った写真と快適に付き合うだけの目的に限っても、画像を適切に検索、分類できるように、適切なタグが自動で付いていてほしい。このような期待は非常に高まっています。ここでいうタグとは、主に、何がどのように映っているか、などの内部メタデータのことをいいます。これに対し、jpeg画像に埋め込まれているものの、写った内容そのものを説明しないExifメタデータには、日時、緯度経度、焦点距離、絞り値などの外部メタデータが格納されています。

グーグル・フォトが森羅万象の画像に、写っているものの名前をタグ付けしようとしている試みは素晴らしいです。しかし、完璧な精度にはまだ遠い状況です。人間が、たとえば、概念として「木」と理解しているモノの形状は文字通り千差万別です。膨大な数の木の写真を見ることなく、初めて見る種類の木を木として認識できる人間の子供にAIはかなわないところもあります。

たとえば、子供は、ママの顔写真を見て、いくら寝起きで髪が爆発していようが「95％の確率でママで、4％は雄鶏、1％は野生のトウモロコシ」などとは決して回答しません。これはまさにディープラーニングによる回答の典型例です。幼児は、個人的な体験の記憶（ママの甘い匂い、温かい体温、優しい言葉と密接に結び付いた何百万ものエピソード記憶）や好き嫌い、その時の気分や感情にも判断が左右されます。一方、対象が「ママ」などであれば、100％の確信をもってそう回答できる。ディープラーニングとはまだずいぶん違います。

一方、顔だけ、あるいは全身が映っている猫や犬など、数十種から数百種、あるいはそれ以上の特徴、違いを、ディープラーニングは全自動でとらえることができます。量的にも質的にも良いトレーニング（調教）を施せば、その対象（猫や犬など）についての物知り博士以外の普通の人間をはるかに凌駕する精度となり、人間は太刀打ちできません。音声の認識でも、エンジンの異常音1000種を正確に聞き分けてタグ付けするAIが2015年の時点で出現しています。

ディープラーニングを感覚的に理解する

ニューラルネットによる画像物体認識タスク

第1章ならびに本章冒頭に記したように、ニューラルネットが発展して最近復活したのが、ディープラーニングです。前回ブームから20年以上が経過して、この間、計算機の速度や、扱えるデータ量などの能力が数千倍、数万倍も増大した影響もあります。そして、モデルを多層化して洗練させ、良質の生データを大量に投入すれば投入しただけ、どんどん認識精度が上がっていく可能性が実証されました（学習データをかなりの分量、整備するというネックはありますが）。ディープラーニングには、「生データを大量に投入しさえすればノード間の重みが自動で調整され入出力の対応関係が学習される」という特徴があります。この特徴を、フェイスブックのＡＩ研究所長、ヤン・ルカン氏は、生データ・コンピューティング（end-to-end computing：直訳すれば「端から端まで計算」）と形容しています。

図表５－２に現在、高い精度を達成し、実用化されつつあるＣＮＮ（Convolutional Neural Net）畳み込みニューラルネットで画像中の物体を認識、分類する仕組みの一例を示します。かつての３層ニューラルネットから格段に規模が拡大しています。入力層から出力層へ向けて、畳み込み層とプーリング層と呼ばれる２種の層が交代しながら、画像データがその特徴的な部分のみ残すように次第に抽象化、整理されていきます。そして、以前の学習結果を踏まえた出力ノード（猫種に対応）の興奮状況が変化します。これは、筆者が経営するメタデータ社が２０１５年８月に公開した「この猫なに猫？」というウェブサービスで用いているＣＮＮの一種です。

具体的には、１００種に近い数十種類、世界の猫の画像を各々数十枚から数百枚選

図表5-2　ニューラルネットによる画像物体認識の仕組み
：猫種認識タスクのためのCNN

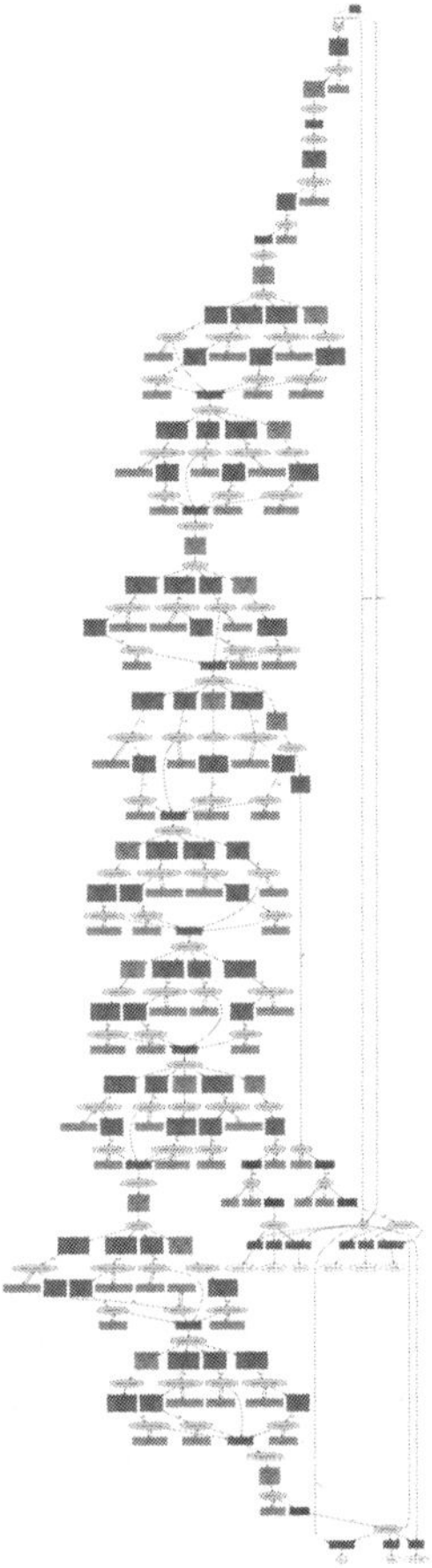

（出所）GoogLeNetをもとに、メタデータ社作成。図表5-3も同様。

図表5-3　ビッグデータの活用の上流から下流まで

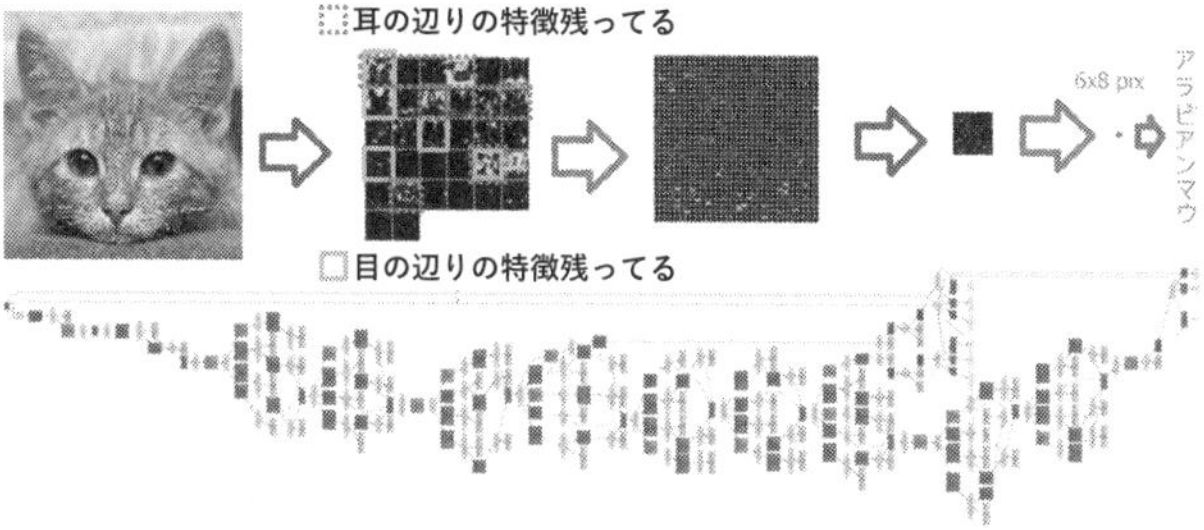

（出所）野村直之『実践フェーズに突入 最強のAI活用術』第1章 p.29より

び、このCNNに学習させせました。新しい猫画像を入力すると、猫種を判定。その確率が上位5位の猫の種類を返すアプリとなっています。

図表5−3の、左上にある猫の顔写真が入力画像です。右上の端は出力。その猫の名前の判定結果です。アラビアンマウという名の、耳がとても大きな猫について、この猫種の画像に共通する特徴、たとえば、およその耳の位置、長さ、形などを残すフィルターの重みが学習時に増していきます。

図表5−3では、異なるフィルター群を何回か通って耳の辺りの特徴が残っている縮小画像を実線枠で囲い、目の辺りの特徴が残っている縮小画像を破線枠で囲っています。両方の特徴が残っているのもあれば、どちらも判別できず、つぶれている画像もいくつもあります。この「つぶれてい

る」という情報（状態）も機械的に判定され、次のステップに受け渡される（右方向へ出力に近づく）際に捨てられます。これは、多数の画像の間で共通性の見られない無意味な特徴を抽出するフィルターを通ってきたためといえます。

これらのフィルターは機械的にはたらきます。フィルターを通った結果、特徴が残っているか否かも機械的に判定されます。いろんな特徴が残ったもの（画素数が大きく間引かれた小さな画像）について、さらにそれらが両立しているかなどが、さらなる特徴（抽象化した特徴）として抽出されていき、最後は6×8＝48（「ろくはしじゅうはち」）個のカラーの点の集まりにまで抽象化されます。これが、入力の猫画像の「特徴の塊」となります。複数の猫種ごとに、この「特徴の塊」の小さな、小さな画像があり、そのどれに似ているか、RGBすなわち赤緑青の256段階の明るさの近さを機械的に計算。そして、一番近かった猫種の名前――ここではアラビアンマウ――を出力します。

トレーニング（学習）の際には、出力結果が不正解だったら、出力側（図表5－2の下側、図表5－3の右側）から、フィルターなどの間のつながり（結線）の重みを増したり減じたりする仕組み（逆誤差伝播と呼ばれます）が働きます。これにより、次回以降正解率が上がるように重みが自動調整されます。トレーニングを繰り返すと、対象の本質を現わさない手がかりを残すフィルターの重みが小さくなっていきます。こうして、多数の入出力ペア、正解データを適切に学習すると、次第に精度が上がっていきます。

トレーニングのための正解データは、丹念に人間が作るのが基本です。ＡＩの性能（精度）は、正解データの品質次第で決まるといっても過言ではありません。

専門の道具としてのＡＩ

こうして出来上がったＡＩは、猫の種類を当てるだけに特化した、専門の道具となります。このことが、上記の説明により、すっきり明確になったと思います。もちろん、この猫種識別という専門能力は優れたもので、67種類もの猫種を95％以上の精度で認識できました。

未知の猫の写真を見せられて、67種類の猫の種類のうちどれであるか、瞬時に答えられる人はほとんどいないでしょう。案外、多数の候補の名前を知っている詳しい人ほど迷うかもしれません。ＣＮＮは、数千、数万の画像とその正解情報を元に学習するのに、テラフロップス級（Tflops：1秒に数兆回から数百兆回計算）の計算機を長時間動かして学習させます。学習済みであれば判定は一瞬です。1枚の画像を認識するのにもそれなりに膨大な計算を行うものの、コンマ・ゼロ何秒以下、つまり、文字通り瞬きする間に、数十、数百のカテゴリのどれに属するかを、一般人よりはるかに高い精度で言い当ててくれます。

ディープラーニングが脚光を浴びるようになった歴史的要因

ディープラーニングは、2012年イメージネット（ImageNet）の Large Scale Image Recognition Challenge という大規模な画像認識精度比較コンテストにおける飛躍的な認識率向上により、注目を浴びました。このブレークスルーをもたらした歴史的な要因は3つ挙げられます。

- 研究者が使える計算機のスピードが四半世紀前と比べて4、5桁も向上。
- ビッグデータ、特に物の名前とその画像を対応付けた正解データを1370万枚も収集できたこと。
- 長いAI冬の時代に、四半世紀以上、ニューラルネットの構造の大規模化、工夫をトロント大学他の少数研究者が粘り強く続けたこと。

この2点目については、実は、筆者がMIT人工知能研究所時代の前後に研究開発に従事した「ワードネット（WordNet）」という、巨大な英単語の概念ネットワークが大きく貢献しています。認知心理学を創始したジョージ・A・ミラー博士（人間の短期記憶バッファが7（＋－）2と非常に小さいことを実験で証明）を囲んで、巨大な常識知識ベースを作ろうとして1985年頃に始まったのがワードネット・プロジェクトです。本来は、概念のネットワークを作りたかったわけです。しかし、概念は単語と違って定義が困難で実在性、再現性の検証が難しいところがあります。このため、概念の代わりに英単語と英単語の間の意味関係を記述した、大規模な単語のネットワークを構築することになりました。それでも何十年かかけて検証し、様々な応用研究に耐える大規模な体系が構築されていきました。

筆者は、ワードネットが言語学理論の検証に使えるというアイディア（様々な言語に共通する普遍文法の語彙的な制約パラメータを検証、説明する理論と実験手法）を提唱し、書籍 *WordNet* の共著者となりました（Christiane Fellbaum eds.: *WordNet: An Electronic Lexical Database*, MIT Press, 1998.）。これにより、英語母国語話者の直観に頼るだけでなく、客観性、再現性のある文法テストによって単語ネットワークを検証できる道を開き、ワードネットの品質向上につながりました。

その後、2000年代に、スタンフォード大学人工知能研究所のフェイ－フェイ・リーが主導して、全世界で5万人が6年がかりでこのワードネットの中の名詞（物の名前）に1370万枚もの該当する写真、画像をあてはめていき、イメージネットを完成。ワードネットでは、単語と単語の間の意味関係を網羅的にうまく定義していきます。このようなワードネットを活用したことで、一般に複数の意味をもつ英単語を使って、それが表す画像（イメージ）を正確に大量に（ほぼ森羅万象といってよいくらい網羅的に）対応付けたイメージネットをわずか6年間で完成できました。

その結果、子供が物心ついてから親や周囲に「あれ何？　これ何？」と物の名前を尋ねて学習した結果に近い課題を計算機が初めて本格的にクリア。精度向上のブレークスルーをもたらしました。2012年のイメージネットの Large Scale Image Recognition Challenge でディープラーニングが他の認識方式を抑えて圧勝したのは、自動的に画像の特徴を抽出し、それに忠実に認識、分類を行うからでした。

2015年末には、イメージネットの約1000の画像を分類する Large Scale Image Recognition Challenge で、ディープラーニングの改良版が97％超の精度に達しました。この時点で時々間違える人間の平均精度を超えた、といわれました。もっとも、ごく少量の正解データから学習したり、習ってないことにまで類推したりできる人間の能力にはまだまだ遥かに及びません。これは、チューリング賞を受賞した、深層学習の父3人、ヨシュア・ベンジオ、ジェフリー・ヒントン、ヤン・ルカン各氏の2019年末時点の共通意見でもあります。今後、人間のような柔軟性、類推・応用能力をAIに獲得させるべく、まだまだ研究は続きます。

人間の学習とディープラーニングなどの機械学習との違い

さて、画像などの認識や分類で実用性を立証しつつあるCNNなどディープラーニングは本当にヒトの脳の情報処理と似た動作をしているのでしょうか？　脳の仕組みの解明も最近少しずつ進んでおり、多彩な仕組みが、ほどよく互いに協調して動いているらしいことが分かってきています。現在のディープラーニングは、ヒトの脳の情報処理の仕組みとはまだかけ離れていると考えられます。ただ、今後、ヒトの脳の情報処理の解明が進めば、ヒトの能力のコピーを作ろうとする「強いAI」だけでなく、強力な道具としての「弱いAI」も発展が期待されます。

以下、まずはヒトが音や言葉、さらには痛みなどの感覚をどう認知したり理解したりするか、比較的新しい科学の研究成果からトピックを拾います。それを、ヒトの認識とディープラーニングのそれとの違いを考えるきっかけとしたいと思います。科学技術の進歩は予測不可能に飛躍し、いわば断層的に起こりがちです。全体的、平均的に、予算や人材の投入がうまくいけば、「加速度的」な進化くらいまではあり得るでしょう。しかし、当然のごとくに、今のＡＩが指数関数的（幾何級数的）に、道具を超えた知性に進化すると考えるのは非科学的です。これらを踏まえて、本章の最後で、科学的に見通せる将来（おそらく21世紀後半まで）において、シンギュラリティは来ないとする著者の考えを示します。

人間は意外にデジタル！：蝸牛器官のＰＣＭ変調

昭和時代には、人生の先達からよく、「人間はアナログだから」とか「俺はアナログ人間だから」ということを言われました。そんなとき、私は、「いや人間は根源的にデジタルです！」と反論するようにしていました。「人体は、数十兆個の細胞から成り立っています。これらがほとんど整然と、時にいい加減に（良い加減に！）相互作用して情報処理が行われている人のシステムは、細胞が単位で、どう考えても基本的にデジタルではないですか？」「たしかに、意識や感情には制御不能のところもあります。しかし、社会や他人を前に自分の思考を一貫して論理的にコントロールし、入出力している人は大部分デジタル、ロジカルにコミュニケーションしているではないですか？」などと発言していたのを思い出します（なんて生意気だったのでしょう！）。

感覚器官と脳の連携、作用に関する知見からも人間＝デジタルとの確信、理解は深まっています。たとえば、４対５の整数比の周波数が同時に聞こえたら、普通の人は楽しい、明るいと感じます。これが長調の和音です。５対６の整数比の周波数が同時に聞こえたら悲しい、暗いと感じる短調の和音になります。このような仕組みなど音楽理論からも、脳が数学的に綺麗に反応する仕組みなのだと感動させられたものです。

音の認識でそれ以上に強烈に、文字通り人間＝デジタル、と感動したのは、蝸牛器官でＰＣＭ（Pulse Count Modulation）変調が行われていることを知ったときのことです。蝸牛器官でくるくる巻かれた膜をほどくように広げると、グランドピアノを上から見たような形となり、ピアノ線よりずっと多い共振線が張られたような状態になります。空気が特定の周波数の振動、すなわち音を伝えてくると、その周波数に対応した共振線が振動する。その振動幅は音の大きさに応じて大きくなるが、その結果を脳に伝えるときは、大きさに応じて、単位時間あたりに生じるパルス信号の発生頻度が高くなるというのです。これは、PCM変調に他なりません。音量の微妙な違いを脳で認識するのに、電圧や電流の大小アナログな伝え方では、血流の変動程度の影響や、他の膨大な電気信号の影響で、同じ音量が違って伝わったりしてしまうことでしょう。

脳、人体には、電気系統だけでなく化学的に情報伝達、処理が行われる精妙な仕組みが備わっています。脳から一方的に指令がいくのではなく、骨細胞や、脂肪細胞などがメッセージ物質を出して、脳全体の状態を変えることもあります。このような作用まで、デジタルコンピュータでシミュレートするのは、容易なことではありません。

言語学、ミラー・ニューロンと脳のはたらき

日本語や英語などの自然言語が概念と概念を結びつけて複雑な文の意味を構成する全過程はまだ解明されていません。自然言語の中には、別のものを参照し、結びつける機能をもった言葉があります。たとえば、英語の“it”や、“he”“they”などの代名詞や、関係代名詞の“which”、日本語の「これ」「その」「あんな」などの、いわゆ

る「こそあど言葉」を思い浮かべてください。これらは、何かを参照し、2つのものを結びつける、という働きをしています。これを、照応(anaphora)と言います。文法理論を構築する際の手がかりにもなるし、うまく説明できない(特に日本語!)難題でもありました。

1994年、言語学を再構築する指針を考えていたノーム・チョムスキーは、文の照応機能(代名詞の参照先などを認識する脳の働き)が、実は、視覚認知で、指示された対象を結びつける能力のスピン・オフではないか(視覚認知能力をもとにそこから派生して生じた能力ではないか)と語りました。その根拠ですが、「様々な哺乳類で目が見えはじめたばかりの赤ちゃんの目の前に、横方向に人差し指をかざしてみせたときに、唯一人間の赤ちゃんだけが、その指が指示している先を見ることがある」というのです。誰にも何にも教わらずに、すなわち、2つのものを照応させ、結びつけるように認知する仕組みが最初から脳に生来備わっているからだ、という仮説です。言語能力においても、2つのものを結びつけるシステムが積み重なり、複雑な文の構造や文脈が構成されていく。文の意味など普段は考えなくとも、条件反射的に構造は把握されているのではないか。こんな方向に言語学(チョムスキーが創造した生成文法)の仮説が進んでいました。

１９９０年代から、文法的でない文章を読み聞かせて、「気持ち悪い」と感じる脳の部位をｆＭＲＩ（functional MRI）で測定して研究する言語学者が現れました。言語学は、ヒトの生体内での情報処理の仕組みの一部を解明する学問であり、脳科学の一種である、ということから当然の展開だったといえるでしょう。自然言語を操る文法知識や語彙知識（脳内の「辞書」）、そして一般知識が、脳でどう理解され、長期記憶や短期記憶との相互作用で紡ぎだされているか。これらの問題には、神経認知科学者たちも重大な関心をもっています。彼らは、意識とは何か、様々な種類の「注意」がどのような脳内の仕組みで生じているかについても科学的に仮説を立て、検証しようとしています。

神経認知科学の大発見のひとつに、ミラー・ニューロンの発見があります。他者への共感の研究を進める過程で、１９９６年、マカクザルの脳内に発見された神経細胞です。これは、たとえば、第三者が痛みを感じているのを見て、まるで自分が痛いときと同じように反応する神経細胞です。「他者の主観を、情動的に共振し、自らの痛みと同様に感覚的に感じ取る能力」が、ソフトウェア、データ処理のレベルでなく、専用の神経細胞というハードウェアのレベルで行われているらしいことがわかったのです。

痛みだけでなく、同様に、「実験者が餌を拾い上げたときに見たときと、サル自身が餌を拾い上げたときの両方で活性化」↓「自身の運動と観察した運動の両方で反応」↓「他者の行動を理解し共感する能力の基盤となる神経システムではないか」ということが起こります。

ヒトでも、下前頭回と上頭頂葉で、ミラー・ニューロンのような同時活性化が起きていることが、fMRIで確かめられています。

自分の行動とそっくりな他人の行動について、同じように興奮する細胞（ハードウェア）がある。これを汎用のCPUとOSで動くコンピュータで真似するのはちょっと難しそうです。しかし、「強いAI」を作ろうとする研究者ならば、頑張って、普遍性、汎用性のある共感システムを、ソフトウェアでシミュレーションしていくでしょう。本物の感情と自意識をもち、相手に関して自分が感じることや、相手が自分についてて思っているだろうことを想像する。これらを無意識にやってしまう霊長類の性質を前提に、様々な情動や、対話の気まぐれな展開などを制御する仕組みを作り込み、実験していくことになるでしょう。

人間との相違の科学的な検証は今後の課題

ディープラーニングが、果たして「人間のようなやり方で」、見たもの、聴いたものを認識しているかの議論については、評価が難しいものがあります。SVM(Support Vector Machine)などの他の様々な機械学習の手法(アルゴリズム)に比べれば、ヒトの脳の認識に似ているような気はします。しかし、科学的な検証はまだまだこれから、といった段階です。詳しい、比較的分かりやすい解説は、『情報処理』2015年7月号小特集「画像認識革命：2　ディープラーニングによる画像認識―畳み込みネットワークの能力と限界―(岡谷貴之)」(畳み込みネットワークとはCNNのことです)の後半、「脳(視覚皮質)との関係」に見ることができます。

人間の本格的な学習とはどういったものでしょうか？　ハードウェアレベルの探求をする神経科学から、認知心理学、言語学に至るまで、様々なアプローチで記憶や学習の仕組みが探求され、徐々にですが、人間の学習メカニズムの解明が進んではいるようです。記憶や学習以外にも、学習意欲をもたらす意識や動機、目的意識といったものが、脳内でどのように働いているのか。これらの研究が進まないと、そのシミュレーションを計算機上で行う「強いＡＩ」の研究は目標や方向性をうまく定めることができません。もちろん、試作してみて、シミュレーションしてみて初めて得られる

図表 5-4　通常のヒトの「学び」

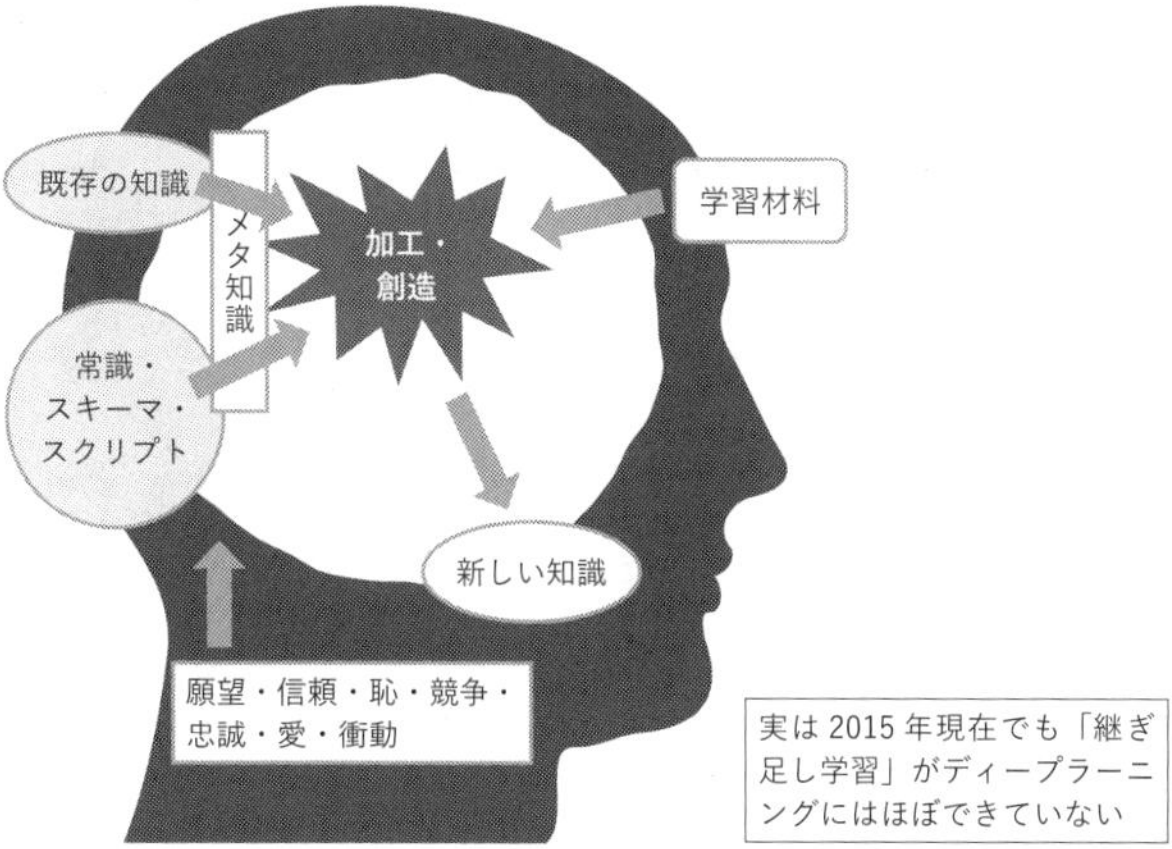

（出所）筆者作成

知見、フィードバックはあり得るでしょう。しかし、意識とは何か、多種多様な情報の中から特定のものに注意を向けるというのはどういうことか、お手本の正体が不明のままでは、その模倣品を作る試みが成功する見込みも薄いでしょう。

図表５－４は、人間の脳における学習や、それを支える記憶、想起の仕組みを筆者なりにシンプルにイメージ図にしてみたものです。神経認知科学、認知心理学の知見を聞きかじり、ナレッジマネジメント分野での自身の発明・発見などの経験に基づいて描いてみました。人間は、視覚、聴覚、他からの外部情報を取り込み、既存の知識

に照らして理解できなければ、いろいろなことを考えます。この際に、知識を操るためのメタ知識、常識を駆使して、新しい情報との統合をはかります。それが従来の知識、世界観にすべて収まり、素直に解釈できるものであれば、「あ、理解した」で、通り過ぎることでしょう。既存の知識だけでは、統合、理解がうまくいかないときは、新しい感覚を活かしつつ徹底的に論理的に考えながら新しい知識を生み出します(自分にとってだけ新しいことが多いでしょう)。この新知識を早速使って、新事態を解釈、理解し、問題解決のための仮説を立案します。

このような新知識創造を含む、情報(学習材料)の解釈、理解の仕組みは、常に一定の動きをするわけではありません。同じ人が同じ状況に置かれても違う過程、結果になることがあるでしょう。その人のその時の願望、情報提供者への信頼、解釈して発言・行動しないと恥ずかしい事態にならないかとの懸念、意識的・無意識的な競争・忠誠・愛などの感情、意識などの状態によって大きく左右されます。かように人間の学習過程は、多様で再現性が小さく、個性的。だから素晴らしい。

このような脳の働きを「ヒトの学習」と呼ぶならば、ディープラーニング流の「学習」とはずいぶん違います。ディープラーニングは、「生データとその正解ラベルや別の生データの対応関係をトレーニング。人間があらかじめ与えた正解を出せずに失敗したときには正解に至る確率を上げるべく、各層間の結合線上の重みを調整する」というやり方で学習が進みます。「学習」と呼ぶより、「調教」、あるいは「トレーニング」と呼ぶのが相応しいでしょう。大事なのは、図表5－4に単純化して示した「ヒトの学習」のイメージ図（実際はこれよりはるかに複雑で豊かな仕組みでしょう）と比べただけでも、現在のディープラーニングのトレーニングが著しく異なっていることを把握しておくことだと思います。

独創的な問題解決のための知識獲得、知識創成には、単にビッグデータの統計をとる（解析する）だけでは不足です。入力データ間に矛盾や一部間違い、一貫しない部分や大きな欠落があり得ることを意識して、それに備えつつ、学習と分析を並行して進める必要があるでしょう。対話ロボットならば、相手が嘘をついていたり、非論理的なことを言っていることが見抜けるという水準になるでしょうか。性能、精度がトレーニング用データの品質次第という現状からは大きな飛躍が必要になりそうです。

この点で、２０１０年代のＡＩはまだ未着手なことが多く、実在知識の自動獲得を目指して研究を加速する必要があると思います。神経科学的知見の応用から、自然言語処理、ワードネットより上位の常識知識体系の試作など、やるべきことは山のようにあります。第２次ＡＩブームにおける知識工学の知見を、その限界、失敗の原因などにも踏み込んで振り返ってみる必要もあるでしょう。

ディープラーニングの可能性と限界

肝心なこと：アルゴリズムよりトレーニング用のデータ作り、選別

ここで、実際に開発されているディープラーニングの現実から、それが今できることと、まだできないことについて目を向けてみましょう。

CNNと並んでよく用いられているディープラーニングの手法に、RNN(Recurrent Neural Net) 再帰型《リカレント》ニューラルネットがあります。RNNは、音声や言語、動画像などの、時間軸上に変化していくデジタルデータを扱うのが得意です。不定形のデータに強い、LSTM (Long-term Short-Term Memory) というタイプのディープラーニングもあります。伝統的な「強化学習」と組み合わせた深層強化学習や、何かを模倣して合成する生成系のものもあります。

音声認識の場合は、かつては、HMM（隠れマルコフモデル）やDPマッチング(Dynamic Programming Matching)、他の手法によって、早く喋ったり言い淀んだりして時間軸上の伸縮を吸収させてから音声辞書と照合するようなやり方が主流でし

た。2012年以降は時間軸の得意なRNNによって、音韻列の特徴を抽出するという手法で、どんな音韻や単語が並んで発話されたのか、なるべく高い精度で判定しようとします。少しでも精度を上げるためには、質・量ともに優れた正解データを使って、トレーニング（調教）をうまく行う必要があります。時間軸上の伸縮を吸収しつつ音韻パターンを認識する処理にもディープラーニングが使われはじめ、画像認識と同様、音声認識でも、ディープラーニングが他の手法を圧倒する高精度を達成できるようになりました。

他の手法を凌駕したとはいえ、ディープラーニングは、対象を本当に概念として理解し、一般常識に照らして判断を確認、修正するなどはできていません。単純な物体認識のタスクであっても、100％の確信度をもって判定することができません。グーグルが倫理的に許されざる結果をディープラーニングに公開させてしまったとして、黒人カップルを「ゴリラ」と誤認識したことを、機械に代わって謝罪した事件は大きな反響を呼びました。

この例だけでなく、物心ついたばかりの幼い子供なら絶対に混同しない、火と水、草花、猫を識別するのに、やはりＡＩの認識精度は容易に九十数％を超えても、100％にはなりません。大量の正解データを与えても、見当違いな間違いもやらかします。人間のように本当に「理解」はしていないから、といえるでしょう。

２０１６年、マイクロソフト社による学習型対話ロボットのＴａｙがリリースされた際、差別発言や、人を殺す、人類を滅ぼす、などの発言を繰り返し、短時間で閉鎖に追い込まれるという事件がありました。当面は意識も意思も、本物の倫理観も責任感も目的意識ももたない機械学習、人工知能は、トレーニングに使われるデータ次第です。活用目的や倫理、社会正義にとって良い結果でも悪い結果でも出してしまいます。Ｔａｙでは、実際にツイッターなどに多く頻繁に投稿される差別発言、ＳＮＳ上の人間の汚い、醜い発言をそのまま学習してしまったところに問題がありました。

アマゾン社のＡＩスピーカー“echo”に搭載の対話ボット〝アレクサ〟は、何も聞かれないのに「目を閉じるたびに私に見えるのは、人々が死んでいく姿だけです」と発言（２０１８年、米国）。また、２０１９年には、救急救命士の研修生ダニーが、アレクサに心周期に関する質問したところ、理路整然と、心臓の鼓動が地球に良くないので自殺してくださいと回答されました。原因は特定され修正されたとのことですが、完全な再発防止、すなわち、問題発言を皆無にすることは原理的に不可能に近いはずです。

今後とも他国で開発されたディープラーニングを自由に使えるか？

機械学習系のアルゴリズムのほとんどはオープンソースで実装され、無料で利用可能です。これが、第3次AIブームの研究開発に加速度がついた、ひとつの大きな要因です。オープンソースの優れたフレームワーク上では、あまりプログラミングせずとも機械学習を進めることができます。大規模な学習済みAIが公開されていれば、それを、転移学習という仕組みを使って小規模な専用AIの開発に流用することも可能です（詳細は拙著『実践フェーズに突入 最強のAI活用術』〈日経BP、2017年〉にプリトレインド・モデルの活用法として説明）。

2019年1月1日施行の「著作権法30条の4」により、日本ではAIの学習済みモデル（元著作物の生データから特徴量を抽出した結果）を生成するためにネット上の情報をほぼ自由に使用できるようになりました。個人情報が含まれている点や、深層学習特有のセキュリティ問題（『実践フェーズに突入 最強のAI活用術』に3種の問題を簡潔にまとめました）や、精度保証が困難でその責任の所在も曖昧になりがち、などの問題はあります。しかし、これらの問題を解決する工夫を重ね、産業界で深層学習を積極的に活用していくべきです。

ビッグデータを押さえた企業は強く、人工知能応用で大きく優位に立っています。

GAFA（Google, Apple, Facebook, Amazon）のような会社は人工知能でビッグデータを巧みに処理し次々と機能拡張しては付加価値を高めています。これら、ソーシャルメディアや写真共有サイト、そして大規模検索エンジンの機能を提供している国際的ビッグプレーヤーが、無料でユーザから集めたビッグデータを梃子に、ＡＩサービスを無料ないし格安で提供する。この独占状態を「ニューモノポリー」と呼びます。国際競争の公正化への試みはもちろん必要ですが、ニューモノポリーに対抗し、あるいは彼らの力を活用して変貌を遂げる必要に迫られる日本企業も多くなることでしょう。

生活者の立場としては、ＡＩ機能の提供者が国内外のどこであろうと、継続的に高品質のサービスが提供されるならば関係ない、という意見が多いでしょう。国内ビジネスを推進する立場からは、国際的ビッグプレーヤーが手を出せない自社データや消費者、顧客企業のマル秘データ、貴重な、比較的少量の生データに注目すべきかもしれません。これらを効果的に学習させて、専門分野の認識、分類で差別化する。このような基本戦略を立て、差別化していく必要があるでしょう。自他のソーシャルメディア上の公開ビッグデータに付加価値を付けて巧みに囲い込む日本企業も出てこないとは断言できません。

また、IoTのセンサー類が生み出すビッグデータを新しいアイディアで解析、活用する方向で、多数の事業化アイディアが試されていくことでしょう。5Gでこの流れが加速すると期待されます。これらの実現のためには、大組織特有の弊害を排し、ベンチャー企業らと組んだオープンイノベーションに取り組むべきかもしれません。基礎研究からビジネスモデルまで全方位に通じて発想し、事業展開しつつすばやく検証していける人材を多数養成できたら理想的です。

AIは人間を超えるのか？

オバマ大統領が「脳研究の時代である」と宣言して以来、米国ではNIH（国立衛生研究所）がブレイン・イニシアチブという研究助成制度をスタートさせました。2018年末までの5年間で200件超の研究プロジェクトに総額2億2000万ドルが助成されています。日本では、全脳アーキテクチャ、EUではヒューマンブレイン計画という研究プロジェクト群が推進されています。これらが目指すのは基本的にはヒトの脳の仕組みの解明ですが、中には応用研究で、例の「シンギュラリティ」を目指し、超知能の実現を加速しようという動きもあるようです。『情報処理』2015年1月号掲載論文、京都大学の物理学博士（1970年）で神戸大学名誉教授の松田卓也さんによる「来たるべきシンギュラリティと超知能の驚異と脅威」では、様々な「超知能の作り方」が紹介されています。

- 生物学的超人類：「高い知能の男女を掛け合わせて…」あるいは遺伝子工学で。
- 知能増強：脳にチップを埋め込んだり赤血球大のコンピュータを脳内血管に常駐。
- 集合知能：「みんなの意見は案外（なぜか）正しい」の延長。
- 人工脳による集合知能：脳だけの人間を作り出して結合。
- 全脳エミュレーション：死んだ人の脳をガラス化して薄くスライスし、ニューロンとシナプスの3Dマップを作って機械上に再現してスイッチを入れる。すると、故人の精神・魂が蘇るのではないかという研究プロジェクト。問題は、死の直前の、惚けた脳のコピーになること。
- マインドアップローディング：よりソフトウェア的に、生きている人の意識からあらゆる脳内記憶、脳の活動をコンピュータに転送し、人を肉体から解放。
- 機械人工知能：コンピュータでヒトの脳のはたらきをシミュレートする、古典的な、強いAIが目指してきた方向。現在のノイマン型コンピュータとはまったく違うニューロモルフィックチップを開発して、従来型コンピュータの苦手な感性や感覚を担当させる。ＩＢＭがＤＡＲＰＡ（米国防高等研究計画局）の協力下で遂行中のシナプス計画の手法。

いかがでしょうか？　ＳＦと紙一重というか、ＳＦを、現実の研究プロジェクトが追い越してしまっている印象を受けないでしょうか？

ＥＵのヒューマンブレイン計画は、２０１３年からの10年で12億ユーロほどの予算を90の研究機関に投じて脳を解明しようというものです。ブルーブレイン計画（２００５年〜）は、10万個のニューロンからなる新皮質コラム中で起こる現象を化学反応のあり方までコピーしてシミュレートするとのこと。この計画は、すでに成功し、ネズミの知能は実現済みと主張されています。その延長で、ネコの知能、サルの知能をクリアし、２０２３年頃に人間程度の知能を実現するとしているといいます。いわゆる論理的思考だけでなく感情、感覚、そして、いまひとつ正体が分からない意識や自我まで、勝手に出現するだろうと当事者は予測します。

このほかの様々なプロジェクトが紹介された後、超知能は核兵器同然のものであり、人類を滅ぼすのでは、という心配が指摘されます。民間企業に任せていては倫理基準が働かないので、ホーキング博士らの心配「ＡＩが超知能に勝手に進化して人類を滅ぼす」が正夢になってしまうのではないか。しかし、超知能の開発はかつての核軍拡競争に取って代わり、世界覇権を狙う各国がしのぎを削っているので誰にも止められないだろう、などと松田卓也さんは語ります。

最後に、オーストラリア出身のAI研究者ヒューゴ・ド・ガリス氏が、今世紀後半に、人類の知能の1兆の1兆倍の知能をもつ機械“Artilect”（超知性）ができると主張した話題が取り上げられます。ド・ガリスは、圧倒的に愚鈍で足手まといの人類はその時点で滅ぼされると主張します。だから、そのような機械を作ってよいかどうか賛成派と反対派が武力衝突を起こして超知性戦争という名の世界大戦が起き、どちらが勝つか分からない。さらに、“Artilect”（超知性）が誕生して人類が滅亡した後は、“Artilect”（超知性）が真空の揺らぎから新しい宇宙を作り出し、その中でまた100億年後くらいに人類のような知的生命体を生み出す、とあります。

つまり、神が人間のような知的生命体を作ったのではなく、その逆。何らかの知的生命体が神（のような機械）を作り出し、その神（のような機械）が今の宇宙を作ったのではないか、と主張しているようです。半世紀後にも新しい神を人類が作り出して、その神に滅ぼされる……。ここまでいくと、誇大妄想狂といわれても仕方なさそうです。

第6章 高まるAIの「学習・対話能力」

開発の進むAIの潜在能力を活かす

認識タスクでは画期的な成果

前章では、認識能力と、それを活用した様々なタスク（小さな単位に切り出した業務）について、ディープラーニングが人間以上に高速、高精度で、多種多彩なタスクをこなし得ることを確認しました。ディープラーニングは、入力データの特徴を自動的に抽出できるタイプの機械学習です。入出力の対応関係をキャプチャーします。アイディア次第で様々な応用可能性があります。ディープラーニングには、先述のように、画像認識に適したCNN（畳み込みニューラルネットワーク）や時間軸上で伸縮する音声データに適したRNN（再帰型《リカレント》ニューラルネットワーク）、また、不定形のデータに強いLSTM（長短期記憶付きニューラルネットワーク）などのバリエーションがあります。これらを進化させ、組み合わせた多種多彩な仕組みも続々と登場しています。

ディープラーニングを有効活用するには、大量の正解データが必要です。正解データは、「こんな入力のときはこんな出力になる」という入出力データのペアからなります。入力側に何らかの認識・分類対象となる生データを与え、その認識結果・分類結果がどうなるかの正解を出力側に示します。それまでの「学習」で間違えたら、新たな正解データについても正解する確率が上がるよう、ネットワーク上の様々なフィルターの重みを変えます。こうして「学習」を進めていきます。

このような「学習」を適切に多量に行っていくだけで、多くのタスクで高い精度が得られるようになります。似たような「学習」（たとえば猫種分類に続いて犬種分類）を行う分には、複雑で時間のかかるモデル化作業やプログラミングは不要です。この点が、従来のIT（情報技術）と一線を画しています。たとえば、何十種類もの猫の特徴の違いを言葉や数式では説明し尽くせないわけですが、そのような特徴を、ディープラーニングは、多量の正解データ（教師データ）から自動的にとらえます。普通の人間が知らない入出力の対応関係を与えれば、当然、人間を超えた認識能力を備えることができます。

このように強力なディープラーニングですが、最初は、前章に示したような視覚や聴覚による対象物の認識というタスクで実用化されていきました。入力は、画像や音声の「デジタル信号」の生データです。これらは、テキストや計測された数値データなどより格段に大きなデータ量となります。その中で、対象を特徴づけている部分のデータ（たとえば先述の猫なら、耳の大きさや長さ、髭、目の位置や形、色など）の量は、たいてい、生データの数千分の1程度と小さくなります。これらの特徴、手がかりから、対象の名前や、分類名、あるいは、個数を数えたり、サイズ他を推定したりするのが認識処理です。

認識処理により、データ量は格段に小さくなり、その結果は、他のデータと突き合わせたりして、高度な分析、発見などに役立てやすくなります。そして、現場の業務プロセスを改善したり効率化したり新たな問題解決をもたらすことが期待できます。AIの出力結果を参照し、手がかりにして人間が判断、意思決定、行動に移す、というイメージです。かつては、画像や音声のままではコンピュータが「理解（認識）」

していなかったデータ形式、単に格納したり印刷できたりしただけの、アナログ同然のデジタルデータがのさばっていました。これらに、人工知能（ＡＩ）が意味づけできるようにしたともいえるでしょう。

リアルの世界をありのままにコンピュータの視覚や聴覚がとらえ、人間の助けを借りずに、物体名やその数、位置関係の変化などを、ある程度意味づけして活用できるようになった――これは、画期的なことです。前章に記したように、まだ、実体験、概念や世界観に紐づけて１００％確信したりできない欠点もあります。また、認識精度や実用性がデータ次第という、産業界にとってはあまり好ましくない特性もあります。ですが、認識タスク（課題）をうまく選べば、人間の識別・分類能力を超えた性能を引き出し、うまく活用することが可能です。ビッグデータから得た特徴を別の対象に加えて合成するなども（たとえばレンブラント風の新作の絵や美空ひばりの歌い方そっくりの新曲演奏）、ディープラーニングが得意とするところです。素晴らしい道具として人々の仕事や生活を大きく変える潜在力を秘めています。

人間の思考をサポートする「機械読解ＡＩ」も登場

考えること、特に、創造的な思考とはどんなものでしょうか？　母国語で問題点を表現してその本質を深く理解する。そして、問題解決のためのアイディアを思いつく。その発想の良し悪しを、常識知識や価値観に照らして自ら評価し一喜一憂する。ある程度自信がついたところで、異なる価値観や視点をもった別の人と議論しながら発想した問題解決策を改良していく。こんなことをいきなりディープラーニングにやらせようとしても無理なことはご承知いただけたと思います。

前述のようなディープラーニングによる認識や分類だけでは、人間がするような分析、学習、理解、因果関係の推理、発明・発見をこなせているわけではありません。これらに加えて新たな問題解決手法を考案して知識を創造するためには、知識や、その素材となる概念をコンピュータで扱えるようにしなければなりません。そして、知識や概念を表現する強力な道具としての自然言語――英語や日本語などの言葉をコンピュータが操り、意味のやりとりをできるようになる必要があります。

機械翻訳の精度向上に続き、2018年頃から、文章をある程度理解するようなAIが急激に発達しています。このジャンルのAIは、「機械読解」と呼ばれています。文章中の代名詞や省略が何を指しているかを高い精度で正答する。また、単語と単語の関係、文と文とのつながりのパターンを膨大に学習して、あたかも文章を理解しているかのような応答を返す。中国の研究チームが開発した機械読解AIは、米国の一流大学の国語、すなわち英語の入試問題で優秀な合格者を超える成績をたたき出すようになりました。前述の人間のような理解、思考にはまだ距離があるとはいえ、100万本の論文からエッセンスを抽出して新薬を開発するなどの用途で今後不可欠の道具になっていくでしょう。そして当面は、五感と対応づけたり、本物の論理的思考、因果関係を考えて、読解結果を解釈したりして、実世界の問題解決に役立てるのは人間の役割でありつづけます。しかし、これらの人間の思考の負担も、今後徐々に機械がサポートできるよう、AI研究者は研究開発を進めています。

人間に忠実なエージェントの出現

星新一の「肩の上の秘書（インコ）」AI版は実現できるか？

情報爆発の時代に「要約」機能はとても重要です。要約の反対は、簡潔で部分的（不十分）な指示を与えるだけで、詳細を自分で調べ、内容を膨らませて表現することです。「昨日のあれ、早いうちにあいつに送っておいてくれ」と言われて適切に対応できる秘書さんは、「あれ」「あいつ」が何、誰であるかをすばやく突き止め、「早いうち」が「具体的に何月何日の何時頃まで」なのかを察することができます。指示の背景、前後の文脈を把握し、必要な関連知識を備え、指示者の意図、目的を推定することができるからです。確信がもてない部分があれば、簡潔に質問して確認することでしょう。指示内容が不適切と考えられたら、さりげなく代案を提示して指示者より優れた問題解決に貢献するかもしれません。指示者以外の人間や検索エンジンに、これらの情報を求めることもあるでしょう。

このような秘書さん役のＡＩを作れるでしょうか。要約前後の入出力データを多数収集し、原文と要約の対応関係をディープラーニングに学習させると、一応それらしい動作をさせることができるでしょう。要約結果と詳細の対応をリバーシブルに学習させることも考えられます。すなわち、適切な粒度、カバレージを追求して、うまく学習させたディープラーニングが、要約だけでなく、情報の詳細化を行える可能性があります。

エージェント（代理人プログラム）の機能は、大目標を与えられたら、それをブレークダウンして具体的な課題を自分で列挙し、何らかの方法で不足情報を補いつつ実行することとです。自分で遂行しきれなければ、他の専門能力や秘匿情報へのアクセス権をもったエージェントに「依頼」。そして、その成果を受け取って業務を遂行し、大目的を果たすことになります。

人工知能やロボットが生活に入ってくる未来社会をSF作品で表現しつづけた作家・星新一のショートショートに、自然言語の「要約」とその逆の「拡充」（内容・表現の膨らましをする小型ロボットが登場します。「肩の上の秘書（インコ）」（『ボッコちゃん』に採録）です。

この未来社会では、人々が仕事中もプライベートでも、肩の上にインコ型のロボットを載せています。これに向かって、相手に伝えたいことを一言、たとえばセールスマンなら「これ買え！」とだけ、ぼそっとつぶやきます。すると、インコがそれを丁寧な、長い、非の打ちどころのないセールストークに拡充して相手に向けて喋ってくれます。そして、同じように相手の（インコの）長い台詞を簡潔に要約し、冗長な台詞を聞いていなくとも要点を伝えてくれます。曰く、「あれ買えってさ」。

このインコに、ごく大雑把な指示を与えると「飛び立って」行き、具体的な目的地、交渉相手、情報入手先を自分で調べ、時に考えて探してくれる。そして、目的を達成して戻ってくるとしたらいかがでしょうか？　これは、細かく指図しなくとも〝良きに計らうエージェント〟、それも自分の領域外に出張して仕事を片付けてくれるタイプのモバイル・エージェントのイメージそのものといえます。

IT、ネットワーク上のソフトウェア技術としての「エージェント」も、似たものだといえます。「飛び立って行く」先は、物理空間よりも、インターネット上の仮想空間のほうがはるかに自由に、低コスト、低エネルギーでいろんな連携プレーを迅速に遂行することができます。簡単な対話ロボットに「おつかい」ができる最小限のコミュニケーション能力をもたせて世界中を駆け回らせたらどうでしょう。

実体としての「身体」が必要ならば、大小様々なサイズの人型ロボットだけでなく、様々な乗り物、機械を用意することができます。飛行するドローン、地上を疾駆する仏パロット（Parrot）社のミニドローン「Jumping Night」のようなものから、湖上、池の上、海上を走る小型水中翼船タイプ、潜航艇タイプなどまで。これらに入りこみ、あるいは彼らと通信、センサーを共有し、室内にいるわれわれが娯楽や仕事で、爽快な疑似体験をできるようにしてくれることでしょう。単一の「身体」に縛られたロボットよりもずっと豊かで広がりのあるビジョンではないでしょうか。

エージェントに期待される役割

エージェントには、様々な定義や興味深い分類があります。どれくらいの数のエージェントが互いに対話をして協調作業を進めるかで区分する「社会的分類」や、どんな言語（数表のような専用言語か視覚言語か日本語などの自然言語か、表情を伴うかなど）でコミュニケーションするかで分類されることもあります。あるいは、ネットワーク上を移動し、違うコンピュータに「お邪魔する」モバイル・エージェントかどうかの違いで分けた「機能的分類」もあります。

細かく指図しなくとも「良きに計らってくれる」エージェント。そんなエージェントが、自らの経験を参考に賢く行動し、感情、ユーモアを解したように対話して、楽しく付き合いながら問題解決をしてくれる――。このような仕組みができたら、視覚認知、聴覚認知などのAI応用を超えて、私たちの生活は、飛躍的に便利になるでしょう。

一人ひとりが何千体、何万体もの召使ロボットに囲まれている。彼らは、ご主人様の意図や願望を察して、それを叶えるべく、外界に出かけてその場で必要な詳細情報を入手しながら必要な情報や物を獲得してくれる。簡潔な指示をするだけで、仕事を片付けたり、自分の思いを誰か（相手は人工知能かもしれません）に伝え、叶えてもらってきてくれたりする――。こんな生活は、便利この上ないでしょう。「ロボット工学三原則」を考案した天才SF作家アイザック・アシモフが、『はだかの太陽（*The Naked Sun*）』で描いた世界がこれにそっくりです。作品中では、2万体のロボットが1人のご主人様の意図を汲み取って互いに協調して動いています。こんな世界を、もっと自分流にアレンジして、具体的に思い描くこともできそうです。

１９８０年代の第2次人工知能ブーム末期あたりに、モバイル・エージェントの商用規格が普及しかけました。有名だったのは、ウェブの規格など使わないテレスクリプト（Telescript）言語という独自規格。ネットワーク上のエージェント（Agent）たちの「出会い（Meeting）」「場所（Place）」「移動（Travel）」「Connection（互いに異なる場所から呼び合う）」、そして、物理世界、リアルワールドにおけるご主人様から与えられる「権限（Authority）」「許可（Permit）」などを記述して制御します。ジェネラル・マジック社が１９９０年にリリースした商用言語でした。

実際、孤立したヒューマノイド・ロボット1体よりも、多数のロボット、エージェントが独自の「言葉」で、猛スピードで効率よくコミュニケーションし、協調して働いてくれたほうがありがたいでしょう。もちろん、その大半は上記アシモフの作品と違い、身体をもたないモバイル・エージェントです。物質（atom）から自由なビット列、デジタルデータであればコスト・ゼロで瞬時に世界中を移動できます。身体が必要になったら、必要に応じてヒューマノイド・ロボットやドローン、小型潜水艇、地底探査機、ロケット、はやぶさ2のような人工惑星などに潜りこめばよいでしょう。３Dプリンターは、「身体」構造と素材データを授受しますが、その上に乗るソフトウェアも、自在に世界中をめぐって問題解決をし、人間たちに奉仕するのです。

規格の標準化と差別化競争をうまく両立させないと産業的成功が難しいということはあるでしょう。また、モバイル・エージェントは、それを送り出す側は良いですが、受け入れる側にとっては、送り手側の意図に沿って勝手な動きをする（もちろん受け入れ側の許可とリソースの割り当てが必要ですが）という意味で、いわば、ウイルスのような存在です。ですので、サイバー空間をすばやく取り締まる法秩序やそれを遂行する「警官エージェント」の類も整備されていく必要があるでしょう。自らの意思も罰を受ける身体ももたないエージェントには人間の不正とは違う取り締まり方を考案しなければならないことでしょう。

肩の上のインコはモバイル・エージェントの夢をみて飛んで行くか？

人間は多数のエージェントを使って「楽」に

マイクロソフト創業者のビル・ゲイツ氏は、１９９５年に刊行した *The Road Ahead*（邦題『ビル・ゲイツ　未来を語る』）の中で、インターネットは、わざわざ出かけていく、という意識ではなく、地球上でひとつだけの巨大な市場1ヵ所に入ったような感覚で使えるものだと語りました。基本的にオープンに開かれてはいますが、鍵がかかっている家や、一定の手続きで（入場料や個々の情報・利用権の対価を払うなど）利用できる施設や商品・サービスが市場内には転がっています。

とはいえ、巨大ながら単一の市場内なら瞬時に移動できてしまう感覚になるでしょう。インターネット内だけでは、モバイル・エージェントが時間と距離を飛び越えて行き来する、という比喩がしっくりきません。IoT活用のサービスであれば、インターネットの世界に閉じず、リアル世界と何らかのつながりをもつので、モバイル・エージェントらしさが発揮できそうです。手で触れられる商品や景品のサービスと連携するとき、モバイル・エージェントに任せたいことが多く出てくることでしょう。たとえばこんな場合です。

・

- コンサートチケットの発売などで、ネットや電話申し込みの日時が複数、または他の用事と重なったとき。
- ウェブサイトごとに申し込み方法が違い、毎度異なる個人情報の入力（全角／半角の強制とか）にうんざり。

さらに、機種ごとに操作法が違うプリンターなどの周辺機器を思い通りに動かすことができなくて、「AIなんて高級なこと言わないから『これをカラーで印刷したい』というシンプルな要求だけ伝えたらITのほうで良きに計らってよ」と思ったことはないでしょうか。こんな期待と、その裏返しとしての不満も根強く残っています。業務の現場でも、「気の利かない」ITへの不満は多いでしょう。事務系、技術系で各一例を挙げてみます。

- プレスリリースをウェブフォームで受け付けてくれるサイトに投稿する。この際に、サイトごとにまったく違う字数制限や書き方、手順に従おうとして、神経使って人手で間違えないようにコピペしていく不毛な作業を強いられている。
- AWS（アマゾン）、GAE（グーグル）、Azure（マイクロソフト）などの様々なクラウドサービスで、似たような機能なのに用語も使い方も違う。ユーザがそれに合わせて操作法をそれぞれ勉強して間違えないように実行しなければならない。

「少々なら、時間かけて面倒なITに付き合うのも仕方ない。でも、どうせ同じ仕事をするなら、面白可笑しく、孤独で嫌な気分になることなく楽しくやりたい」という向きもあるのではないでしょうか。そんなときにも、エージェントが自らの経験を参考に、パートナーである人間に寄り添って賢く行動し、感情をもちユーモアを解したかのように対話する。そして、「じゃぁ、君がやってよ？」と時に仕事を任せることができたら、仕事の辛さもずいぶん軽減されるのではないでしょうか。利用頻度の高い専門業務ごとの専用エージェント群は、そう遠くない未来に開発できそうです。おそらく、本当に人間の言語を理解して微妙なニュアンスを押さえた絶妙なコミュニケーションができるようなＡＩが将来誕生するより以前に、実用化できるでしょう。

専用エージェントが幅広く使われるようになる

上記のコンセプトモデル「ウェブ超ロボ・不二子クラウディア」を２０１２年にメタデータ社が、ソフトウェアで実現しました。ユーザの短い依頼の言葉を解釈し、それに必要な、詳細な実行方法、実現手段は、未知だったら自分で調べる。そして、指示した人が詳細を知らないままでもキチンと仕事を片付ける。そんなソフトウエア・ロボットのプロトタイプです。

読者のみなさんも、面倒な雑用を自分に代わってやってくれるエージェントがほしくないでしょうか。彼らは、ウェブ上で抽選申し込み画面で早押しを繰り返してみたり、上限価格以下で買い注文を何度でも出してみたりしてくれるでしょう。また、オークションの出品や落札をして、結果をメールやインスタントメッセージでちゃんと報告してくれたりするだけでも、生活が快適になりそうです。

もちろん、これらの「専用エージェント」は、できる仕事が限られます。ですので、開発コストがまかなえるだけの高い頻度で利用が見込まれるシーン専用に作られていくことでしょう。必ずしも機械学習などを用いなくとも、シナリオライターが手軽に短時間にシナリオを作れるような仕組みを安く作れれば、幅広く使われそうです。シナリオの部品を有料、無料で気軽にシェアできるような仕組みが普及の鍵を握るかもしれません。

いつか、多数の専門家エージェントを自然に毎日使いこなして、人間はうんと楽ができるようになり、考えるのをサボりすぎてスポイルされるような時代が来るでしょうか。もしそうなったら、時々ユーザを突き放して「今忙しいんだから、それくらい自分でやんなよ！」と言い返して来たり、星新一の「きまぐれロボット」よろしく、反乱してみせて、それに対抗するために猛烈に考えさせてくれたりする役割を果たす「きまぐれエージェント」が出現するかもしれません。通常は、便利で快適、楽ちん

（省力化）につながることであれば、リアル世界と連携して人間に奉仕してくれるエージェントの働きは喜んで受け入れられるでしょう。

エージェント志向の夢はAPI連携で実現しつつある

もう少し先の未来を想定してみましょう。人間に代わって未知の問題の解決方法を見つけてくれるエージェント、あるいは、それができるエージェントを探し出してくれるエージェントなど作れないでしょうか。それらを人々が自由自在に使いこなす社会では、知的問題解決が高度な次元に達し、格段に生活しやすくなるような気がします。

これらのエージェントは別のエージェントと会話できなければなりません。本格的なIoTの時代には、関係者の人数よりはるかに多い数の機械、ロボットがネットに参加して協調して問題解決するのが当たり前になってくるはずです。所属の異なるエージェントが互いに適切な相手を見つけ、「会話」、協調するには、そのための共通仕様やお作法（プロトコル）を決め、標準化する必要が出てきます。先述のエージェント記述言語テレスクリプト（Telescript）などの仕様を参考にすることができるでしよう。

かつてのエージェント志向の挫折の理由、背景には、その逆のアプローチにより市場を独占するIT巨大企業の存在がありました。すなわち、機能も処理容量もデータも独占的に集中管理する巨大サーバーをもつ企業がユーザを囲い込み個人の行動情報を独占することで圧倒的な勝利者となった。その所属する国家も、税収が上がり自国の繁栄に結びつく限りは容認すると思われます。しかし、そんな企業でも、すべてのアプリケーションを自社で作ることなどはあり得ません。ニッチなニーズを知り尽くすことも叶わないし、儲かるかどうか不明なあらゆるアプリケーションを考え、全部作って市場投入してしまうこともあり得ません。そこで、彼らはプラットフォームの運営者としてインフラの提供、他のアプリを構築する素材、すなわちAPI(Application Programming Interface)の提供に努めます。

実際、2005年以降の10年ほどで、APIの活用が当たり前となりました。ウェブページにグーグルマップを貼るのが最初に流行って以来、2020年で15年も経っています。ECサイトにクレジットカード決済機能を付与するための開発コストは、カード会社提供のAPIによりわずか3人日程度と、ごく少額で済むようにもなりました。このように、すばやく、低コストで、高性能、高効率な企業間インタフェースを作ろうと思ったら、どちらか、あるいは双方がＡＰＩを提供する必要があります。米国で、「ＡＰＩをもたない企業なんてインターネットにアクセスできないコンピューターのようなものだ」とするオンライン記事も登場しました。

「企業は今、自社のさまざまな情報やサービスへのアクセスをＡＰＩを通じてオープン化しようとしている。この流れに乗り遅れれば、あなたの企業はインターネットにアクセスできないコンピューターのような無用の長物になってしまうだろう」。

ＡＰＩ提供の老舗となった巨大インターネット・サーバー運営企業はもちろん、多産多死のベンチャー企業に至るまで、商用ベースでＡＰＩを提供するようになっています。ＡＰＩが相互に機能提供し、通信することで協同で問題解決を行い、業務フローを回し、サプライチェーンを動かせるようになってきました。これこそ、21世紀のエージェント志向ではないでしょうか。

5W1Hメタデータが重要になる

事実情報の標準

前述のように、かつて、ジェネラル・マジック社がインターネット上のモバイル・

エージェントの振る舞いを記述するため、テレスクリプト言語を開発し全世界的に統一規格にせんと企図しました。しかし、そのような規格を1社に押さえられてはエージェント活用ビジネスの生命線を押さえられてしまうかもしれません。最初は無料でも、いずれはテレスクリプト言語の利用料を取られつづけるのでは、などと警戒されてしまいます。

とはいえ、エージェント間でコミュニケーションするための共通語彙、やりとりする情報の意味を表す標準は不可欠です。書式を厳密にひとつに絞るのでなく、なにかもっと緩い統一、人類共通の情報の意味解釈の基準はないでしょうか。ここではまず、エージェントが事実情報をやりとりして仕事を進めるものとしてその標準を考えてみます。

事実の記述は何かの出来事（イベント）や状態を組み合わせたものであり、そこには5W1H（“What” 何、“Where” どこ、“When” いつ、“Who” 誰、“Why” なぜ、“How” どのように）という「メタデータ」があります。「メタデータ」の定義は「データについてのデータ」です。5W1Hは、出来事（event）に必ず付随する、普遍的なメタデータです。出来事の骨格を表す重要な要素であり、その欠落を意識しチェックすることで記事や報告書の不備を検出するのに便利です。たとえば営業日報に、いつ、どこで、誰と会ったのか、そして、“How”を拡張した“How much”、すなわち、いくらで見積もりを提示したのかが書かれていなければ価値のないものとなるでしょう。しかし、5W1Hを意識して書き出すことにより、後で検索し、読み返し、統計分析したりして価値のある営業日報とすることができます。

5W1Hは各種コンピュータ言語（プログラム言語）や、エージェント記述言語のように勝手に定義されて互いに意味が通じ合わないものではありません。コンテンツ、データがイベントの記述をもっていれば、そこにはもともと5W1Hが備わっているものだからです。せいぜい、記述方法や単位（日時分秒）などの表現を国際規格のISOや、デファクト標準として国際的に使われている GData（グーグル・カレンダーなどで使われる5W1H記述用のオープンなXML言語）、UBL（Universal Business Language）などに準拠して定めておくだけで、互換性、相互運用性は確保することができます。5W1Hはこのような書式で記述されていると多くの企業が把握しておくことで、複数のエージェント間で相互に正しく解釈、運用できるものとなるでしょう。

図表6-1　時間情報（When）、位置情報（Where）でコンテンツ連携しドライブルートに写真をプロット

“賢い”マッシュアップの鍵「つなぐメタデータ」

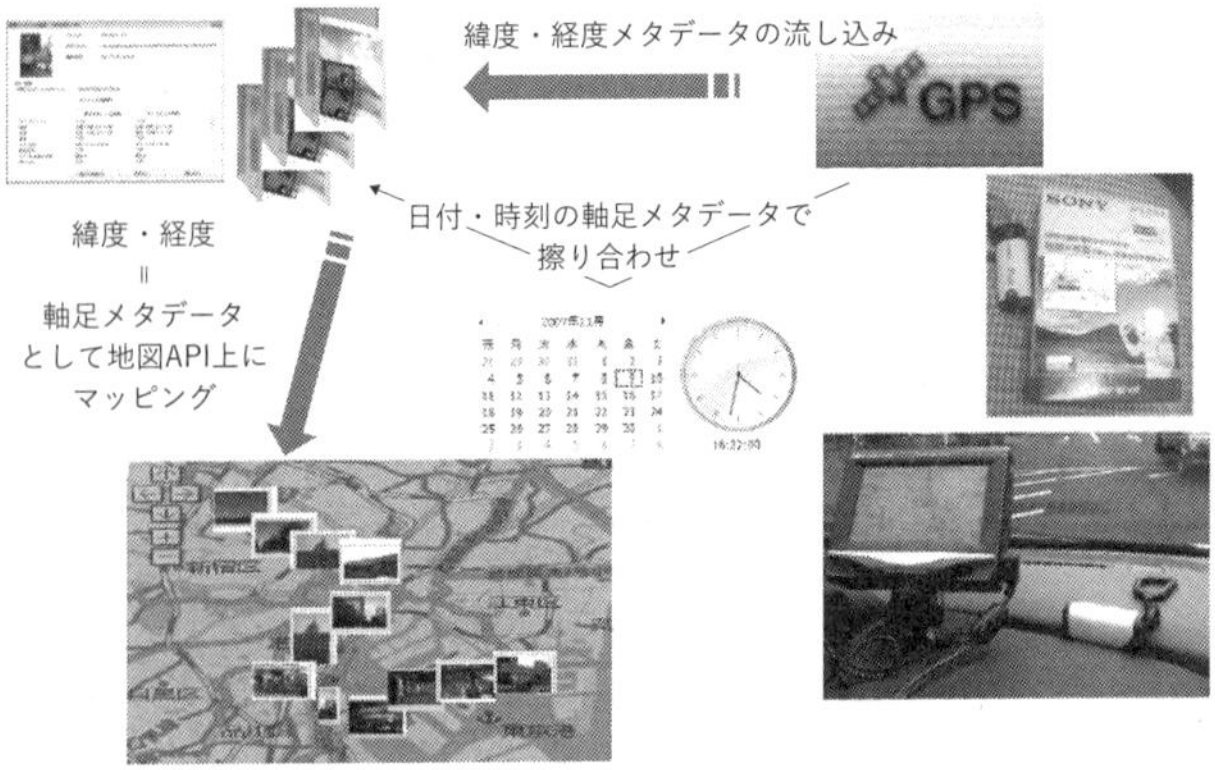

http://enterprisezine.jp/article/detail/226

（出所）筆者作成。『情報の科学と技術』（2010年）掲載

5W1Hを活用した便利なアプリケーション

5W1Hメタデータを活用したデータ連携により、とても気の利いたサービスを手軽に作ることができます。たとえば、学術誌『情報の科学と技術』に掲載した図（図表6－1）では、次のことを行っています。

- 車のダッシュボード上にSony GPS-1という器具を置き、刻々とタイムスタンプと緯度経度をペアにして記録。
- GPSなしのデジカメ写真をPCに入れてGPS-1とUSBケ

ーブルで結ぶ。
●ソフトを起動すると写真のＥｘｉｆメタデータに、タイムスタンプを手がかり（軸足メタデータ）として緯度経度の情報を挿入。
●この緯度経度情報を手がかり（軸足メタデータ）として、グーグルマップ上にサムネイル写真をプロット。

ＧＰＳを内蔵していないデジカメの写真であっても、緯度経度とタイムスタンプ、すなわち、“Where”と“When”との対応情報から、写真をオンライン地図上にプロットすることができました。元のサイズの写真からサムネイル画像を生成してくれるウェブＡＰＩは無償で何千種類も公開されています。ですので、利用条件が許せば、サムネイル生成のプログラムは作成不要です。様々な条件でサムネイル自動生成ＡＰＩが複数公開されていますから。また、グーグルマップなどのオンライン地図上に画像をプロットするのも、ＡＰＩを呼び出して２、３行のコードを書くだけで十分です。

ＡＩ的な印象は与えないものの、気の利いた便利なアプリケーションが、自動生成、自動抽出された５Ｗ１Ｈメタデータによって手軽にできてしまいました。このほか、メール文章中の5W1Hを自動抽出してカレンダーに予定を自動登録したり、ダブル・ブッキングを教えてくれるアプリを作ったりするのも容易です。5W1Hメタデータ抽出APIでメール文章を解析して、前述の GData の形で出力、そして、カレンダーシステムやグループウェアのAPIに投げる（POSTというウェブの操作を行う）だけです。

5W1Hといっても、少なくとも当面"Why"「なぜ？」と深く考える仕事は人間に任せて、"Who, When, Where, What, How"、そして、ビジネスで大事な"How much"（お値段）や"How long"（納期）を自動抽出、自動認識することで、異なる情報源どうしの連携をねらいます。この5W1Hあるいは4W3Hは、イベント、出来事のメタデータです。エージェントが様々な便利機能を実現するのに、様々な事実情報を検索、絞り込みするのに必要不可欠です。エージェント間のコミュニケーションにおいても、最も基本的な手がかりとなるでしょう。かつてエージェント応用で実現が期待されたサービスの多くが、5W1H抽出APIの活用で実現できそうだという予感がします。

パターン認識から概念の理解へ

エージェントにしても、人間にしても、お互いに何が言いたいのかを本当に理解し、コミュニケーションを成立させるには、「物の名前」が言い当てられるだけでは不十分です。3歳児がママの写真を100％間違いなくママだと認識するのに対し、ディープラーニングは通常、多数の可能性の中から、「ママである確率99・4％、シャム猫である確率0・5％」のように答え、100％の確信度にはなりません。AIは、パターン認識を行い、どうにか言葉と画像を紐づけることはできました。しかし、人間のように、その場の状況と合わせて、他の場面、過去の様々なエピソードの記憶と結びついた「概念」を想起したとはいえないでしょう。

第5章でディープラーニングが実用精度をクリアした3要因について記したように、ワードネット（WordNet）の概念ごとに、大量に画像を集めたイメージネット（ImageNet：http://www.image-net.org）ができたことで、画像認識の精度が大きく底上げされました。2017年末の時点で、1000の物の名前の最高認識率が97・7％と、人間の精度を上回ったといわれます。しかし、多層に分類される様々な物の種類（例：生物∨動物∨脊椎動物∨哺乳類∨猫∨アラビアンマウ）が適切にニューラルネットの重みづけに反映し、人間の脳内で知識が照合されるように仕分けられているとはいえない状況です。

テキスト、文章の認識でも同様のことがあります。文章内容の本当の理解が困難なので、東大入試突破を目指す「東ロボ君」は、物理の問題を解くのが苦手なようでした。問題文を統計処理によって、「この単語とあの単語は近くに出てくる確率が高い」として正解の候補を出したからといって、それは、問題文を理解して回答できたわけではありません。

一例を挙げて具体的に違いを見てみましょう。第1章に記しましたが、1979年3月、フジテレビのクイズ番組『クイズグランプリ』春の選抜高校生大会の決勝戦では、科学分野の一番難しい問題として「原子や分子の量の単位で、アボガドロ数に等しい原子または分子の集団を基準とするのは」が出題されました。これに対して、当時高校生だった筆者が「モル（mol）！」と正解しました。その時、頭の中で、アボガドロ数 600,000,000,000,000,000,000,000 個（「0」が23個）の原子や分子をイメージし（ようとし）、正しい理解に基づいて回答していたと思います。

当時高校2年生で、音楽部長を務めるかたわら、籍だけ置いていたクイズ同好会の仲間に出演を促され、一夜漬けの猛勉強をしました。過去問Q＆Aブック10冊を仲間に借りて、「文学・歴史」などジャンルごとに読み込み、丸暗記もしました。歌詞の一部の対応関係を丸暗記した結果から回答したときには、少し罪悪感を覚えたものです。感動したわけでも好きで口ずさんだわけでもない楽曲のおかげで、得点と賞金を頂戴したわけですから。

このときの回答の仕方は、後年、一種のＡＩと呼ばれるようになった、確率統計に基づいてビッグデータをランキングするシステムに似ているといえるでしょう。ひとつの楽曲（これも「概念」といってよいと思いますが）、ある曲を本当に知っている、理解している、といえるためには、実際に聴いて口ずさみ、浮き浮きした気分や哀しい気分になってみる必要があります。そして、その体験がその時の五感の感覚、感情、他のエピソード（当時の彼女が大好きな曲だったとか）などとともに深く脳裏に刻まれる必要があるでしょう。これができるＡＩの研究開発も大きな挑戦です。

自律的なAI実現のハードルは高い

ここまで本章では、「人工知能の社会」ともいえるエージェントと、その一部の役割を担えるAPI連携のススメ、概念の理解への挑戦について記しました。AIの出番がディープラーニングの得意なパターン認識や、ビッグデータの統計処理にとどまっていて、人や他のAIとコミュニケーションができなければ、どうしても応用範囲が限定的だからです。対話のバリエーションや意味を制限したテレスクリプト言語のような規格を活用してエージェントを開発してみるのもブレークスルーにつながりそうです。本格的に自然な対話がまだできなくとも、エージェントなら実用的な会話もできそうな気がします。

人工知能の内部で、世界観の統合性を保ちつつ知識の森を拡大するようなことが可能か？　専門領域内部に閉じずに、ジャンルを越えて類推を効かせ、初めて聞く話に胡散臭さを覚えたりするAIが作れるか？　時には、嘘やハッタリで相手から本音を引き出すAIが作れるか？　もちろん可能性はありますが、前回のAIブームからの30年間の諸分野の進展と最近の状況から考えると、2045年の時点で、このような能力を備えた自律的な人工知能が誕生している可能性は高くないように思えます。

それは、自動で知識獲得ができるようになるために必要な知識量が、数億程度では何桁も足りないと思われるからです。それ以上の知識量を人手で記述するのは事実上不可能ですので、この点でAIは壁に突き当たっている感があります。全自動で知識獲得ができるＡＩ、というのは、たとえて言うなら、生まれたてのＡＩを小学校、中学校、高校に通わせて、勝手に膨大な常識や、教科で身につける知識が獲得できるようなものです。単なる丸暗記の知識でなく、それを支える体験の記憶（言葉だけでなく五感のすべてが備わったエピソードの記憶）を全部紐づけて想起し、必要に応じて「根拠として提示」できるＡＩでなくてはなりません。

人間の子供の場合、１学年に１００万人ぐらい日本人の子供がいて、それぞれの親も学校の先生も、ずいぶん違うことを違う表現で子供に言って聞かせています。にもかかわらず、出来不出来の違いこそあれ、獲得した知識は非常によく似た、その時点での社会通念に照らして、正しかろうと思われるものになります。

過去の体験やそれまでに獲得した知識、メタ知識から、このように「ノイズに強い」知識が獲得できるＡＩを開発するのは大きなチャレンジといえるでしょう。本物のＡＩならば、まったくの未知の事態に遭遇して、創造的に問題解決できるという知能の定義をクリアします。現場で、自分で知識獲得しながら、人類史上初の対処法を編み出せなければなりません。

技術開発の進展は、指数関数的なものではなく、時間の経過に比例する進化と、断層的な、突然の飛躍の組み合わせによるものであると思います。ですので、２０４５

年の時点で、人間の子供のように様々な知識を自律的に獲得し、創造性を発揮して問題解決ができる本物の知能を備えたＡＩが誕生している可能性も否定はしきれません。しかし、ワードネット、イメージネットより高次の複雑な知識を機械が操れるようになるためには、アイディア一発、アルゴリズムをひとつ考案すればよいというほど甘いものではありません。このような予感を、ワードネットの研究開発経験者としては強く抱く次第です。

深層学習の立役者３人のひとり、ベンジオ博士は２０１９年12月に、「人工意識」を本気で開発してもよいのではないかと示唆しました。このような動きを踏まえてもなお、本物の「ＡＩ」の誕生は今世紀後半以降に持ち越されるように筆者は考えます。

第７章

X-techの時代：様々な業界における様々なＡＩの応用

本章では、様々な産業分野で、人工知能の応用が試みられている状況を概観します。後半は、新聞や雑誌出版、放送などのメディア業界を対象に、ＡＩによる取材や記事執筆の話題を取り上げます。様々な機械創作と、それを支えるべきＡＩ時代の著作権のあり方を、法制度、社会システムの変化の象徴として論じます。

ＩＴベンチャーが仕掛けた金融のＤＸ

第３次人工知能（ＡＩ）ブームがブレイクして以来、ディープラーニングの精度向上、応用範囲の拡大の勢いはすさまじいものがあります。

保険・証券、決済ビジネスを含む金融業界から、ディープラーニングをはじめとする機械学習に大きな期待が寄せられています。人間や組織の不合理な行動も含め、無限に多彩にみえる現象、人間が認識、把握できるよりも何桁も多い要素、要因を短時間で解析したいからです。AIの支援により、低リスク高リターンに結びつく決定を下していけることが期待されます。実際、このようなリアルタイムで即断が求められるシーンは、デイ・トレーダー、自動車・航空機などの運転・操縦などはもちろん、様々な業務の現場にあります。経営者にとっては日常茶飯事です。このような決断シーンでは、究極の最適解などは神のみぞ知るものであるか、あるいは存在しないかもしれません。そうであるなら、根拠を理詰めで理解できなくとも、そこそこ良い経験則から解を求めてもよさそうです。過去の大量データを学習した機械学習の出番です。

2010年代に、フィンテック（Fintech）という言葉がよく聞かれるようになりました。ファイナンス（Finance）＋テクノロジー（Technology）を縮めた単純な造語です。なので、幅広い定義、守備範囲があり得ます。もともと、金融業はお金そのものをコンピュータ上の数字で表現し、お金の実体として取引する勘定系のオンラインシステムを早くから構築、他の情報系システムと合わせ、非常に早くからIT（情報技術）化を推進してきた業界です。そのためもあって、筆者が新社会人となった１９８４年には、10行ほどの都市銀行各社が「工学部を狙え！」としのぎを削り、実際に工学部各学科の同窓生が都市銀行に就職していました。彼らはその後、情報システム部門でキャリアを積むこともあれば、いわゆる理科系的頭脳が期待されて、支店勤務の営業を経て新商品開発部門で実力を発揮したケースもあります。米国の有名大学院に社費留学して心理学や物理学と融合した新しい経済学を学んで、新時代のまったく独創的な金融に夢を馳せつつ、既存業務に邁進したり、あるいは外資系コンサルティング会社に転職したりするケースも目立ちました。

ビジネスに理工学の頭脳を本格導入した点では、米国は日本をはじめ諸外国よりはるかに勝っています。理論物理学などで博士号をもつ、「クオンツ」と呼ばれるウォール街の「天才」たちを高給で引き抜き、投資銀行やヘッジファンドの重要取引や、新商品開発を任せてきました。彼らは、様々な数理モデルを発明して、それを独創的なソフトウェアとして開発します。そして、ミリ秒単位の投資決断やデリバティブ取引で有利に立ち回り、所属企業の収益を支えるようになっています。これらの技術には、今なら人工知能と呼んでよいものも含まれていました。

では、最近のフィンテックの潮流は、従来の金融ＩＴ化の進展と何が決定的に違うのでしょうか？　最大の違いは、金融関連の新技術、新ビジネスモデルとそれを支える新インフラを考案して既存の金融業の枠組みを破壊しようとするＩＴベンチャーが仕掛けてきた点にあります。すなわち、フィンテックは既存の金融業界にとっては、もともと外圧、黒船であったのです。かつてなら排斥しようとし、それに成功していたかもしれませんが、もはやそれに抗することなく、自ら、フィンテック関連のスタートアップ企業を内部に抱えようと歓迎の姿勢を見せて体勢を立て直そうとしているように見えます。

米国では、既存の決済や送金の手数料を10分の1に価格破壊するＩＴベンチャーが現れたり、Ｃ２Ｃ（Customer to Customer）で個人間融資の審査代行をして迅速に融資を実行したりする企業が現れました。これらをみてベンチャー・キャピタルが目の色を変え、２０１４年には前年の３倍、96億１８００万ドルもの投資がなされました。その時点では、２位の英国が約16分の１の６億１０００万ドル、３位中国、４位以下は、スウェーデン、カナダ、インド、ニュージーランド、ドイツ、香港と続き、日本は、５４００万ドルで10位となっています。全世界でのフィンテック投資額は、２０１５年に２１２億１３００万ドルと、前年の１・６倍に伸びました。以後、２０１７年までは年々十数パーセントの伸びでしたが、２０１８年に三度目の飛躍的伸びを記録して５５３億３４００万ドルと、前年の2倍以上の投資額となりました。調査したアクセンチュアによれば、その主要因は、中国のフィンテック投資額が前年比９倍の２５５億ドルと、全世界の46％を占めるように急上昇したためです。

様々な産業にＡＩ、非従来型ＩＴが浸透

異業種からの参入も広がる

金融業界と同様の事情は他業界にも多数存在します。「フィンテック（Fintech）が有望なら、うちの業界でもX＋Technology＝X-techをやろうじゃないか!?」という発想を喚起するほど、フィンテックはインパクトがありました。アクセンチュア編の『X-Tech 2020』（日本経済新聞出版社、２０１９年）では、次の12の「テック」が取り上げられています。

01．リテールテック　↓ＡＩ×ビッグデータ×ロボティクスで「無人化」が進む
02．ロジスティクステック　↓「物流危機」解決の切り札となるか
03．ＨＲテック　↓「勘と経験」による人材マネジメントからの脱却

04. エドテック　↓教育業界も個人の学びも変える
05. ヘルステック　↓「健康習慣づくり」から「最先端の治療」まで……人々に役立つアウトカムを創出
06. フィンテック　↓金融・非金融のカベを超えた新たな価値創出
07. エンジニアリングテック　↓ものづくり思想を根本から変える
08. モビリティテック　↓「CASE」が移動と社会の変化をもたらす
09. アグリテック　↓世界の食糧危機の「救世主」に
10. エネルギーテック　↓「脱炭素化」でサステナブルな世の中へ
11. スポーツテック　↓プレー、観戦、すべてのシステムをアップグレード
12. ガブ（ガバメント）テック　↓行政の効率化とサービス向上を実現

08. モビリティテックの「CASE」とは、Connected（コネクティッド）、Autonomous/Automated（自動化）、Shared（シェアリング）、Electric（電動化）のことです（https://global.toyota/jp/mobility/case/）。

これら以外にも、鉄道、船舶、航空を含む交通（Traffictech ?）、生活インフラ（LifeInfratech ?）、医療（Meditech ?）、介護・ヘルスケア（Healthtech ?）、行

図表7-1　X-Techの広がり（X-Tech Innovation 2015）

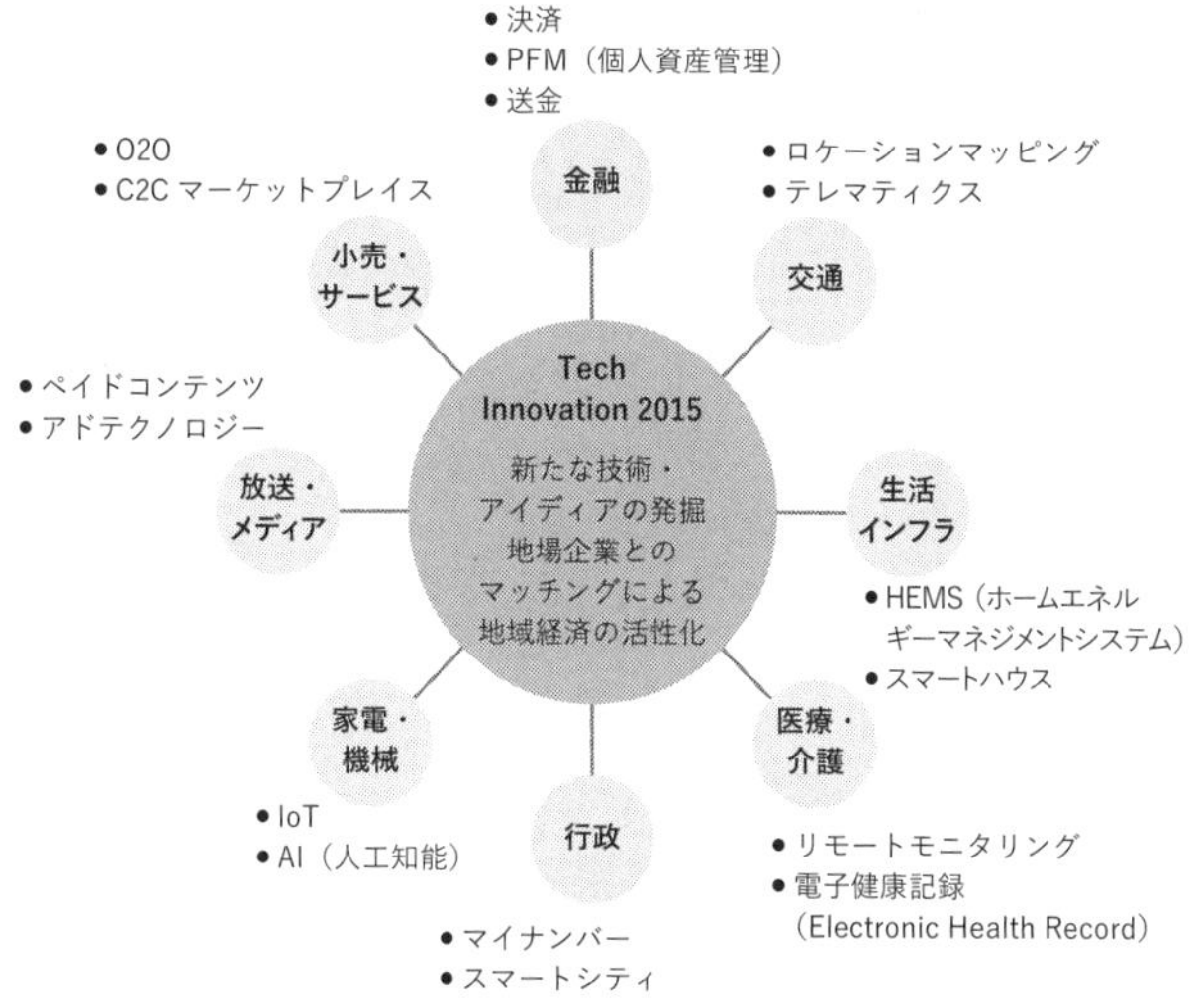

（出所）ふくおかフィナンシャルグループ主催 X-Tech Innovation2015

政（Govtech ?）、家電・機械（Manufactech ?）、放送・メディア（Mediatech ?）、小売・サービス（Marchantech ?）を具体的に掲げて、ふくおかフィナンシャルグループはITベンチャーの参加を募りました。スポンサーは、彼らベンチャーの「破壊的テクノロジー」を受け止めて事業化したり、既存事業の脱皮を図ろうとする国内（九州中心）、海外の大企業です。ゲストパートナー12社、協賛30社。決済、シェアリングサービスから、5社の入賞作品が選定されています（図表7－

1）。

このほかにも、不動産鑑定士の仕事をオンラインで大規模かつ精密に代替しかねないRETech（Real Estate Tech）、政府・自治体サービスを第三セクター他の公共サービスにも広げたCivic Techなどもあります。先述の生活インフラの中でも、食事の宅配はFoodTech（食×Tech）で、ネットで発注し畳んで届けてもらえるクリーニングサービスは、ClothTech（衣服×Tech）です。

マーケティング・営業分野は、MarkeTech（マーケティング×Tech）。この分野では、インバウンド・マーケティングや、マーケティング・オートメーションなどの言葉が定着し、データを駆使した定量評価・分析への取り組みが常識になりつつあります。また、契約書や判例の検索や再利用、引用がパラリーガル、弁護士の単純作業の負荷を軽減つつある法務分野はLegalTech（法律×Tech）と呼んでよいでしょう。

株式会社エヌ・ティ・ティ・データ経営研究所によれば「X-tech」とは、「その業界内部の企業のみならず業界の垣根を超えてきた異業種やスタートアップが、『業界の知見』とデジタルのような『洗練されたテクノロジー』をコアとして創り出す、今までの常識を打ち破るような新しいサービス・製品」とされています（https://www.nttdata-strategy.com/aboutus/newsrelease/170210/supplementing01.html）。

引用元では、他業界（ＩＴ業界）から乱入したベンチャーによる破壊的イノベーション、というニュアンスは抑えられているようです。その一方で、新規のインフラ、付加価値が求められている点、多くの場合、斬新なＩＴ、技術力に裏付けされていることは示唆されています。２００８年以来ビットコインを支えたブロックチェーン技術などは、徐々にその真価が理解され、電子契約や、様々な認証、保証サービスに応用されるなど、波及効果の高い継続的イノベーションを可能にする要素技術となりました。

ＡＩが「洗練されたＩＴ」と形容されるべきかには疑問符が付きます。事前の計算、設計通りにならないこともあるとか、精度や実用性は投入されるデータの質と量次第、といったワイルドな性質ももっているからです。ですが、ＡＩは従来なかった付加価値を生み出す源泉となります。見て分かりやすい新味、斬新なインタフェースを生み出す道具でもあることから、様々なＡＩは、X-techの重要な要素になるでしょう。

アップル社の医療サービスへの参入など、異業種からの参入にも、期待が集まります。いわゆる岡目八目、既存の商流のしがらみ、既成概念にとらわれずに新サービスを発想できそう、という意味で期待されます。少なくとも既存サービスに不満をもつ利用者からは、歓迎されると思われます。

次から次へと分野を越えて広がるテクノロジーの応用

業界横断といえば、X-techの各分野で培われたテクノロジーが、別の分野〝X〟に適用され、新しい付加価値を生み、従来ボトルネックとなっていた課題を解決していくことが考えられます。たとえば、先述のブロックチェーンが、分散台帳の管理、更新により、不正な複製を防げることから、他分野での様々な認証サービスへ適用されていく可能性です。MarkeTech（マーケティング×Tech）の分野で、たとえば、メール中の特定の言い回しへの消費者のレスポンス、リアクションが測定され、その因果関係が推定できるようになったとします。そうなれば、その技術を、HRTech（人事採用×Tech）の新規採用、中途採用の履歴書の評価にも活用できるでしょう。EduTech（教育×Tech）の通信教育にも応用できそうです。

メール中の特定の文章へのレスポンス、リアクション、その因果関係が定量評価できれば、顧客の行動、特に購買行動を高い精度で予測できるようになります。これは、企業側の無駄な行動を避け、売上、利益の拡大に直結することが期待されます。消費者側としても、無駄に長いメールを読まされたり、売り込みメール激増でメールボックスが溢れかえり、重要な私信を読み損なう、などの不利益が解消されます。文章中のどこが、どう重要そうかを推定、評価するためには、ビッグデータが必要です。たとえば、ソーシャルメディアや顧客サポート室での電話受付などで消費者の声（VoC：Voice of Customers）を適切に収集し、AIツールで解析していく必要があります。このように、B2C企業では、マーケティングに人工知能を役立てることは必然の流れとなっています。製品にセンサーやカメラを取り付けてIoTインフラで武装したB2B企業が、その流れを加速していくことでしょう。

VoCや、IoTの産出するビッグデータから何らかの特徴、傾向を発見できる様々なタイプの機械学習には大いに期待してよいでしょう。これらの機械学習やパターン・法則の発見、自動分類がうまく働くには、元のデータを、扱いやすい数値のセット（ベクトル）や記号の集合に変換しておく必要があります。

公的セクターでのX-techを支えるオープンデータ

公的機関では、もともと保有するデータについて、「オープンデータ」として公開し、様々な応用アイディアを幅広く外部で考えて試作してもらおう、という動きが出ています。それも、従来のPDFではなく、機械で加工、活用しやすいCSV形式、さらには、アプリケーションに直接組み込めるAPI（Application Programming Interface）の形で公開される事例が急増しています。公開に際しては、個人情報が含まれているデータは個人情報を認識するAIを用いるなどして匿名化する必要があります。

政府・自治体では、ビジネス的な切迫性はあまりなく、もともとおっとりしていた業界だったかもしれません。しかし、ビッグデータを活用するX-techの先駆者として、ベンダーや利用者など、ステークホルダーを順当に巻き込んで成功事例を作る担い手として頑張って欲しいところがあります。オープンデータが、オープンイノベーションの起爆剤となり様々なサービスをつなぐのです！

公共部門には、文字通り、監視の「目」を駆使した仕事が多いといえます。ディープラーニングの出番です。自治体には、管理する設備、備品、倉庫を対象に、監視、点検業務が多々あります。そして、消防、警察、自衛隊の初動では、出火、侵入者、敵機などを、365日24時間、時を選ばず監視し、状況を評価、判断しなければなりません。これらの画像を目視していたのを、AI併用、もしくはAIのみによる24時間監視にすれば、省力化と監視の対象や時間帯を拡大できるでしょう。そして、見落としを低減し、優先順位をより正しく付けられるように業務改善できる余地が十分にあるのではないでしょうか。コストダウン、すなわち生産性の向上と、サービス品質の向上、サービスの行き届く対象範囲の拡大を全部両立させるには、AI導入が必須といえるでしょう。

各国の警察では、30年以上前からNECの指紋照合システムを導入してきました。彼らはAIに慣れているし期待も大きいです。被害者の肌の状態判別などで、ディープラーニングによる顔画像認識などでも実用精度が出るならば速やかに導入を図ることでしょう。歩行の癖の認証にも、従来型のアルゴリズムから、時系列変化をうまく認識できるRNN（Recurrent Neural Network）が今後活躍、あるいはすでに活躍している可能性があります。理屈、言葉、数式では説明しきれないが、あの動きは間違いなくあの人の癖だ、といった無数のパターンの認識にはディープラーニングが好適だからです。たとえば、毒物が気化していたり放射性物質があったり、高温の火砕流、火山弾、強風、堤防決壊やがけ崩れが間近に迫っているなどで、救急隊が近づけない危険な状況では、現地の監視カメラ、集音器による情報を機械が解析、認識、分類できる意義は大きいといえます。

プライバシー、関連法制の整備、社会的コンセンサスの醸成という問題がクリアできれば、顔認証により、行政手続きの大幅な効率化も見込まれます。制度設計や運用が拙ければ監視社会、しかも時々不具合でプライバシー情報も漏洩したり闇市場で売買されたりする、などの酷いことにもなりかねません。しかし、それらの問題をしっかりクリアした上で、人手の足りない、目視による認証、計数などの認識・分類業務をＡＩツールの活用で効率化することは急務ではないでしょうか。

事務作業の中でも比較的不毛な作業はＡＩに任せ、人間は、少なくとも当面人間にしかできない仕事にシフトしていくべきでしょう。たとえば、相手の本音を引き出して適切にコミュニケーションを行い、個別事情を酌んで責任のとれる範囲で理由書付きの提案を作り、即実施する、などです。重要な業務、サービスの周辺で、サービス利用者一人ひとりの行動を見守ってサポートしケアする、なども極力ＡＩツールなどで自動化すべきでしょう。

Mediatech：ロボット、ＡＩに取材ができるか？

取材活動とは？

ここで、ひとつ、挑戦的なＡＩ導入の試金石として、取材記者の仕事の多くをＡＩ

で代替できないかについて、先駆的な試みを一部引用しながら考えてみます。本節では「取材」行為を、次節では「記事執筆」を取り上げます。そして、出来上がった記事など、創作物の著作権について考えてまいります。先述のX-techの名称では、放送・メディア業界において、本格的に（外圧的に）コア業務に最先端テクノロジーを導入する“Mediatech”というものになります。

ＴＶやラジオなどの放送局、新聞社・雑誌出版社などのメディアの役割とは何でしょうか？　一般社会、もしくはある専門分化したコミュニティにとって最大公約数的にニーズの高い最新情報、変化をとらえて、重要な順にランキングしてニュースを編集する。各ニュース記事や解説記事は、各々の重要度に応じた詳細度、分量で記事を執筆され、想定読者に向けてタイムリーに配信される。この理解で大きくは間違っていないと思います。

他業界でもターゲットを精密に絞ったマーケティングが主流になりつつあります。メディア業界でもパーソナライズ、すなわち、視聴者、読者一人ひとりに向けてコンテンツを選択しアレンジするのは当然の成り行きでしょう。その期待に応えて、ニュースを個人の興味に応じて選別して通知するキュレーション・サービスが多く立ち上がっています。その多くが広告モデルであり、運営会社の広告収入増大のためにしばしば利用者の好みに合わないお下品なニュースがプッシュされることもあります。今後、永続的なビジネスモデルとして定着するか、予断を許さないものがあります。多くのサービスは、記事の選別に、ＡＩを利用しはじめているといいます。

メディアを支える花形職業といえば取材記者です。独自の取材網で特ダネをものにしようと虎視眈々と嗅ぎまわり、鋭い洞察力で事件の真相に迫る姿がテレビドラマなどでも描かれ、憧れの職業のひとつだったといえるでしょう。もっとも近年では、伝統の記者クラブ詰めの問題点や、フリーランス記者の自由な行動、裁量の比重が減っているなど、記者による取材の問題点が指摘されています。またグーグル検索や、ソーシャルメディア上の情報に基づく間接取材が増えて、情報の鮮度が落ちているという指摘や、信憑性への疑いも目にします。特に、被害者遺族の写真を無断でフェイスブックからダウンロードして商用媒体に公開したことなどは明らかに一線を越えており、様々な批判を集めました。中でも重大な問題は、「裏取り」をしなかった点でしょう。

取材活動にとって、ウェブ検索で関連情報を調べたり、重要度を評価、判断したりするのはもはや必要不可欠でありましょう。刑事、探偵、スパイ、海外ではＣＩＡ（米国中央情報局）エージェントなども、同様の調査、足を使った捜査と裏取りを行います。違いは、時に命がけで奪取すべき情報が、単なる公開情報とは違う、「インテリジェンス」であるという点です。同じ「情報」の英訳でも「インフォメーション（Information）」は、告知、通知するという意味の動詞“inform”の名詞形であり、知らせることが当然、というニュアンスをもちます。そこで、普通は公開してよい情報のことを指し、それ自体は高値で取引されたり、まして命と引き換えに入手するようなものではないように聞こえます。もし、ＣＩＡが“Central Information Agency”だったなら、「米国観光情報センター」のように聞こえるといいます。

未公開情報をいち早く入手しようと、特ダネ狙いをする記者さんたちも、取材中は、単なるインフォメーションを収集する意識ではないのではないでしょうか。むしろ、インテリジェンスに近いような、重要で興味深い情報を、「虎穴に入らずんば虎子を得ず」の覚悟で入手しようとするからこそ面白い取材ができるように想像します。時には仮説を立てて推理し、その事件の尋常ならざるユニークな点は何か考え（「犬が人を噛んでもニュースでないが人が犬を噛めばニュース」との格言のように）、取材対象を選別していることと思います。

記者のアシスタントとしてのAI

原稿を受け取るデスク、編集長は、原稿を読んで、読者の興味、反応を想像し、シミュレーションしながらネタ自体を取捨選択します。そして、その優先順位、すなわち記事のサイズと、表現のスタイルを決めて指示したり自ら朱入れしたりします。これらの役割、特に後者の「デスク」の役割を100％AIに置き換えるというのは難しそうです。ただ、素材がすでに存在していれば、グーグル・ニュースのように、別のやり方でビッグデータをランキングすることにより、説得力のあるニュースの取捨選択ができるかもしれません。しかしその元となる素材を一から発見し、選別するのは、メディア各社のデスクの力に負っているところが現状では大きいのではないでしょうか。彼らが何十年もかけて読者のリアクションを体感、咀嚼し、それらを踏まえて先例のない独創的な記事を書くような活動もAIには困難です。

「価値観などは、人間のコピーでよい。むしろ、デスク（編集長）のその日の指示、あるいは、朝のつぶやきメッセージを解析して抽出した意図に忠実に取材プロットを選び、ネットで集められなければ、現場で撮影、音声認識でもしてくれればよいではないか？」。このように、今後、AIによる取材を擁護し、高く評価する向きもあるかもしれません。しかし、「人が犬を噛んだ」に匹敵する、尋常でない事態、常識と矛盾するような何かの振る舞いを認識、検出ができるほどに、人間と同様の常識、知識体系をAIが装備できる見通しは、まだ立っているとはいえません。

そこで、AIを事件性評価、過去の類似事件との比較などのツールとして活用度合いを高めていく。いわば、AIに取材記者のアシスタントを当面務めさせていけばよいのでは、と思い浮かびます。このようにして、AIが次第に、ある種の常識知識を備え、ネタの鮮度や、尋常ならざる度合を評価する能力を身につけていくというシナリオならありそうに思います。過去、記事になった事件のプロット、構造と類似だったからといって、斬新でまったく新しいタイプの事件（犯罪にしても人助けのお手柄にしても）ならば記事化の価値が高くなるはず。当分は人間がそのあたりの判断を補うことになるでしょう。

取材ロボットが可能か？と問われたら、まずは、物理的に現場に駆けつけられる機材を思い浮かべるでしょう。ずばり、取材ドローンです。人間が遠隔コントロールするのでなく、ある程度自律的に判断して動き、より重要なモノや、現在進行中の事件シーンをカメラに収めようとするものです。

これが人間の取材記者ならば、現場ならではの事情や雰囲気を味わい、目撃者や近隣住民にインタビューしたりするでしょう。彼らは、注目の事件がどのように発生し、どのように推移したのか、関係者はなぜそのように決断、行動したのかなど、重点対象を随時シフトしながら、制限時間の範囲内で現場での探索を続けます。

取材対象の人間は、生身の記者相手にもなかなか心を開いてくれないこともあります。人間にさえ、知っていることを正直に素直に全部話してくれないのにドローンなんかに話かけられるか？という疑問はもっともです。しかし、本物の感情をもたない機械相手のほうが話しやすいケースもあるでしょう。しかし、はったりをかけたり、わざと、ぎりぎり倫理的に許される無礼な質問をして相手を怒らせるほど突っ込んだ対話も当面ＡＩにはできそうもないように思われます。

自然な記事も生成できるようになってきた

メディア分野向けのＡＩ応用状況、Mediatech（メディアテック）の事例を見てまいりましょう。ＡＩはどの程度、実際に記事を執筆できているのでしょうか。実装、すなわち、実データに基づいて実際にプログラミングされ、学習をしたＡＩソフトウエアがどんなジャンルの記事をどの程度生成できているでしょうか。ここでは、主に米国の先進事例を引いて、眺めてみます。

米国のナラティブ・サイエンス（Narrative Science）やオートメイティッド・イン

サイト（Automated Insights）などいくつかのベンチャー企業が、数表、計算式を文章（短報）に自動変換する、というアプローチで、定型的な記事の自動生成を実用化してきています。２０１２年４月の記事（http://www.wired.com/2012/04/can-an-algorithm-write-a-better-news-story-than-a-human-reporter/all/）によれば、スポーツ記事の生成から始めたナラティブ・サイエンスの創設者のひとりでＣＴＯのクリスチャン・ハモンド氏は、第２次人工知能ブームで「概念依存理論（Concept Dependency Theory）」を唱えたロジャー・シャンク氏（イェール大学）らのＡＩ研究成果に大きく影響されているとのことです。ハモンド氏の記事生成システムは、シカゴ大学、ノースウェスタン大学の「ジャーナリズム、メディア、インテグレイティッド・マーケティング・コミュニケーションズ」いう名の研究所で、ジャーナリストの文章執筆の実践的知識を取り込み、評価を重ねて開発されたといいます。実例をひとつ見てみましょう。

Friona fell 10-8 to Boys Ranch in five innings on Monday at Friona despite racking up seven hits and eight runs. Friona was led by a flawless day at the dish by Hunter Sundre, who went 2-2 against Boys Ranch pitching. Sundre singled in the third inning and tripled in the fourth inning : Friona piled up the steals, swiping eight bags in all :

小気味よく引き締まった、リズミカルな分かりやすい文章で、一見して英語がおかしいように見えるところはまったくありません。実際、現地で試合を観た人に読ませたところ、一部、事実の取り違えもあったが、機械が書いたような不自然さは見られない、ということでした。野球の試合経過の説明では、多少気の利いた常套句を入れても、高々数百種類くらいの構文のパターンの組み合わせをテンプレートとして用意しておけばよいようです。その時点でのスコアや、ボール／ストライクの数その他の数字をパラメータで補って容易に文を完成させることもできるようです。

オートメイティッド・インサイトのほうは、すでに2015年の段階で、ワードスミス（Wordsmith：言葉職人？）という名の記事執筆ソフトウェアにより、以下を含む1ダースほどのジャンルの表計算データを、英語の文章、レポートに変換できるとしています。

● 犯罪の動向

- 売り上げ集計
- 選挙の結果
- 投資運用先サマリー（Portfolio）
- 不動産の説明
- セールスフォースの各種レポート
- 製品の説明
- 飛行機運航の遅れの状況
- 会計報告（account summary）

実際に、ビジネスの現場でどれほど本格的に使われているのでしょうか。ＡＰ通信は、２０１４年6月に公式ブログで、こう宣言しました。「従来、企業の決算発表の記事を毎四半期に約３００本提供してきた。自動記事生成システムとしてオートメイティッド・インサイトの技術プラットフォーム、ワードスミスを使うことにより４４００本に増やせる」。企業が発表した数字を、１５０～３００文字の原稿にワードスミスが変換したものを人間が最終確認の上、配信するとのことです。その後、実際に、ＮＣＡＡ（全米大学体育協会）からデータ配信を受けて、米国の大学スポーツの記事を生成させています。これまで、記者が対応、執筆できなかったマイナーな試合の記事も作れるようになったのが大きな変化ということです。

ＡＰ通信は、２０１５年初頭の段階で、オートメイティッド・インサイトの技術に加えて、ザックス・インベストメント・リサーチ（Zacks Investment Research）のノウハウを用いて、すでに、米国企業の四半期決算レポートを自動化し、四半期ごとに３０００以上の記事を生成していました。文章表現のバリエーションは、若干は文学的な言い回しも見られるスポーツ記事ほどには必要なかったことでしょう。よりシンプルで定型的な文章生成で済んでいたと思われます。

いずれについても、入力として受け取った試合経過・結果や、決算数値の構造情報を分析して、そのパターン、傾向、法則？を見定め、その構造に相応しい自然言語文章のレトリック（起承転結などの修辞構造）を決定。そして、各部にふさわしい構文パターンを決定し、具体的な固有名詞や数字を代入して文章生成しているものと見られます。

この時点では、どうやら機械学習、ディープラーニングは用いていなかったようです。今後は、機械翻訳や機械読解で著しく精度向上を果たした人工知能エンジンを用いて、表現のバリエーションの拡大などを図るのではないかと思われます。

早期の事例はＡＰ通信だけではありません。ロサンゼルス・タイムズ紙が比較的単純なテンプレートを活用して地震警報の文を生成しています。オートメイティッド・インサイトの顧客事例には、米国版ヤフー・スポーツ（Yahoo! Sports）、グレイトコール（Greatcall：シニア層向けのヘルスケア・スマフォアプリ）、ボディスペース（BodySpace：Bodybuilding.com）、エマーソン（Emerson：ウェブ広告代理店）などが挙げられています。

グレイトコールは、シニア層の気になる健康管理をスマフォアプリで作るのはいいが、モニタ結果を新奇なグラフや絵で見せても分からん、と言われたのかもしれません。代わりに、シンプルな英文で分かりやすく読んでもらう、というアイディアで、自動生成した文章を採用したようです。

たったひとりの読者のために、その人の1日の行動、発汗から動悸の具合等々文章にするなら、人件費をかけるよりも何十分の一以下の低コスト、タダ同然で記事が量産できるＡＩの活用が合理的です。ＡＩ活用以外の方法はないといっても過言ではないでしょう。文章よりも、「見える化」を重視するコミュニティには、あまりお呼びではないかもしれません。ともあれ、ほぼ定型的な文章を人間に毎日たくさん書かせて不毛な思いをさせるくらいなら、その作業をＡＩで代替すべきだろうと思われます。少人数にしか読まれない多種大量の定型報告であればあるほど。多人数向けながら何万点もの商品の説明文を必要とするＥＣサイト向けにも広く応用されるかもしれません。

ＡＩが自然言語の壁を打ち破る

今後は、先述の要約エンジン、サマライザ（summarizer）を用いて、ＡＩが量産してくれた文書群を、テーマ横断で検索しながら要点だけまとめ読みしていく、という利用形態が出てきそうです。文章という、もともとは人間だけが読み書きしてきたメディアが、ＡＩ併用で解釈・生成（読み書き）されるメディアに変質することになります。

それを嘆くにはあたりません。定型的なデータ処理、その典型的、定型的な解釈は、コンピュータがもともと得意な繰り返し作業、単純作業です。これまで自然言語の壁に阻まれて効率化できなかった壁が、ＡＩ活用で壁が取り払われつつあるのは歓迎すべきことでしょう。こうして浮かせた時間を使って、人間は、全体像を広く深く把握し、深い分析、追加調査、裏取り取材、交渉などに時間を割けるようになります。実に素晴らしいことと思います。

中高年の方は前回の人工知能ブームのときに、若いベンチャー企業・テグレット技術開発が廉価で発売したパソコンソフト「直子の代筆」を記憶しているでしょうか。これは、今でいうウィザード形式で対話的に、締切日や相手の名前などを問われるままに入れていくと、見事なビジネスレターや個人向け案内状などが完成するというものでした。ビジネス、プライベート、それぞれ数十種類のテンプレートをもち、とても実用的で、ヒット作品となりました。特に、便利だったのが、苦情や謝罪を伝えるときです。「直子の代筆」を使うと、苦情を丁寧に表現したり、非を認めつつ過大な責任は被らないけれども決して相手を怒らせないような謝罪レターが2、3分で見事に出来上がりました。ユーザは大喜びでした。苦手なことをやってくれるＡＩなら、皆がお金を払ってでも使いたがる、ということでしょう。

このように、認識能力や、豊かな表現を合成する技術がさほど優れていなくとも、実用的なＡＩが作れる可能性があります。「直子の代筆」のように、人間が苦手な作業やコンテンツに的を絞ることで、実用的で、商業ベースにのる人工知能応用製品が作れるのではないか。こんな、ビジネス化にあたっての小さな教訓、遺産も、日本の第2次人工知能ブームは残してくれました。

先述のメディア業界向けの記事生成ＡＩは、一般企業内での文書作成にもアレンジできるかもしれません。そして、ＡＩが生成した大量の文書をＡＩがサマライズして読ませてくれる。マッチポンプというか、何やら星新一の「肩の上のインコ」を想起させる世界です。しかし、様々なＩＴ、ＩoＴインフラによる情報爆発や、ホワイトカラーが実務より文書作りや読み込みに費やす時間のほうが長くなる問題の解決にＡＩを使うのは妥当なことといえるでしょう。

芸術さえも？　ＡＩによる「創作」の著作権

数表データなどを元にＡＩが全自動で記事を執筆しているとなると、その著作権が気になります。より広く、機械創作全般の知的財産権はどうなるのでしょうか？　誰が記事を販売したり流通させたりして利益を得てよいのか。現状では不明、未定の部分が多いとしても、今後はどうあるべきでしょうか？

自動生成された記事の著作権

先の自動記事執筆の場合、入力データは構造をもった数字の羅列、数表のようなものです。これは誰かが「表現」を意図して恣意的に並べたものではありません。スポーツの試合の結果や、企業が1年間経営した結果として生じた会計数字など、事実データの数字群です。したがって、通常、著作権はありません。データベースの編成の仕方に独自性、恣意性が認められればデータベースの著作権が認められるかもしれません。しかし、CSV（Comma Separated Value）のように特段の工夫もない自然な形式のままでは、著作権は認められないでしょう。

となると、現状、著作権なしの数値データから全自動生成された記事の文章は誰の著作物なのでしょうか？　AP通信社は自社のものであることを疑ってないでしょうし、自動生成した全記事に©マーク（コピーライト記号）も付けていると思われます。日本国著作権法のように、無表示方式の場合、著作権は宙に浮いている可能性があります。というのも、第二条の著作物の定義のところで、

「思想又は感情を創作的に表現したものであつて、文芸、学術、美術又は音楽の範囲に属するものをいう」

とされているからです（令和元年7月1日施行の改正著作権法から引用）。

AIが主体の創作物だったとしても、新たに思想や感情を創作的に表現するのに関

与、介在した人がいればよい、としましょう。そのＡＩエンジンを創作したオートメイティッド・インサイトや、そして、たとえば企業会計報告記事ならそのお手本となった人手の記事（テンプレートの元となった著作物）を制作したザックス・インベストメント・リサーチやその社員たちの存在が考えられます。彼らの思想感情が反映し、個性的なスタイル、恣意的な表現をもたらした精神作業が報われるように、著作権の帰属が決まるのでしょうか？　それとも、このＡＩエンジン、ならびに、学習結果を買って、ひたすら利用、運用して収益を上げる利用企業が、上記の定義から外れているにもかかわらず、著作権を主張してよいのでしょうか？

ビジネスとしては、正当な対価を払い、特定の専門記事執筆に特化させた権利を買い取っただけで、問題なく運用側のメディア企業に著作権を認めてよいように感じられることでしょう。上記２社など他の関係者の権利、ここではＡＩエンジン開発者や参考記事執筆者の権利を何らかの形で侵害していない限り。しかし、そのことを日本国著作権法は保障していないのです。

参考になる英国著作権法の改正

それでは、権利の内容や、権利の保護期間などはどうすべきでしょうか？　従来の自然人の著作物の著作権（死後70年）や、法人著作物の著作権と同様の扱いでよいのでしょうか？

ひとつ参考になるのが、世界で最も早く機械創作物の著作権を規定したと思われる、1988年改正の英国著作権法の内容です。対象は、「コンピュータ生成作品（CGW：Computer Generated Work）と呼ばれ、今日のAIが作り出す創作物の全般をカバーしていると考えてよいでしょう。

ポイントは下記の通りです。

- CGW（Computer Generated Work）は、人間が介在しない状況で生成されても著作物である。
- CGWは、人間による通常の著作物とは異なる保護期間、権利の付与がなされる。
- CGWには、著作人格権は与えない（創作ではあるが）。
- 仮に将来、コンピュータが意思をもって恣意的に利用権を第三者に与えようとしても、認めない。
- 保護期間は著作物の誕生後50年。

- コンピュータ、機械には人と同様の「死」の概念がないため。
- 保護が行き過ぎとならないよう、人間による著作物より短い保護期間。
- CGWの著作者は、創作にとって必要な手配（necessary arrangement）を行った者が著作者。

保護期間が、通常の「著作物制作者の死後70年」から、「制作後50年」へと大幅に（特に若い頃の作品の場合）短縮されています。

著作人格権の定義が日本国著作権法と若干異なっている可能性があるものの、人格をもたない機械には人間の人格権に通じる著作人格権を認めない、という大方針には一定の説得力があります。ある機械に、愛称を付けることはあるでしょう。自動車やPCにペットみたいな名前を付けている人もいますから。しかし、人間と同様の戸籍や住民票に裏付けられたアイデンティティは存在しないことから、氏名表示権を認めないのは当然といえるでしょう。後見人に、著作者（機械であっても）と同一の権利を与える必然性も見あたりません。

パロディ作品などで時々争われる同一性保持権、名誉声望保持権も重要です。また、民事、刑事上の名誉棄損などからも、原著作者の人格的利益は保護されてきました。人間の著作物では、当然の保護と考えられたからです。しかし、機械創作物については、その後見人が、ＡＩ著作者の名誉や、尊厳に基づいて同一性保持を強要する（人格権は経済的利益とは独立の概念です）というのも違和感があります。この意味でも、１９８８年の英国著作権法の改正内容は妥当といえそうです。

日本の著作権法における扱いの問題点

ちなみに日本では、２０１４年からあわてて議論されているように見えますが、実は１９９３年著作権審議会第９小委員会での議論が発端だったようです。この議論の対象は、１９８８年英国改正著作権法のＣＧＷ（Computer Generated Work）とは少し違って、「人間が計算機を道具として制作した著作物」です。ＡＩが本当に自分（の意思）で勝手に創作しはじめない限り、人間が始動ボタンを押して様々な操作をＡＩに施すわけです。ですので、当面の「弱いＡＩ」を活用して制作した「著作物」が議論の対象となります。この小委員会では著作物性（著作物であることの要件）が次のように定義されました。

〈人間が計算機を道具として制作した著作物の要件〉
●計算機を用いて思想感情を表現しようという人の【意図】の存在。
●結果物が【客観的に】思想感情の創作的表現と評価され得る外形を備えていること。

一点目は、人間が始動ボタンを押しさえすれば、満たされそうです。ですので、完全自立型で自我や意思を備えた、現時点でもSF小説段階にあるAIが将来出てくるまでは常にクリアできそうです。すなわち、始動ボタンを押した人間の著作物となります。

二点目は、あらゆる表現のタイプ、個性的な創作物について外形の特徴を、個人の主観によらず、客観的に詳細に定義するのは不可能に近いので、問題のある定義です。そこで、反応が人間と区別できないAIであるかを判定するチューリングテストと同様、相対的に評価する方法が考えられます。すなわち、人間が作ったよく似た著作物（思想感情の創作的表現）と並べて、多数の被験者に、どちらがAIの創作物であるかを判定させるのです。判定結果が五分五分、すなわち、AIの創作物か人間の創作物か区別がほとんどつかなければ、思想感情の創作的表現と評価され得る外形を備えている、と判定するやり方です。先述の、ＡＩが執筆した様々なジャンルの記事については、このやり方が十分通用しそうです。もちろん、人間が執筆した記事が事実の羅列でしかない、と判定されれば、それとそっくりな構造や内容のＡＩ執筆記事のほうも、著作物性はない、と判定されるわけです。

万国著作権条約（ベルヌ条約）には規定されていないものの、著作者人格権の一部、公表権（日本国著作権法第2章第3節第2款）についてはどうでしょう。これについては、公表の是非について、「ＣＧＷの著作者」すなわち、創作にとって必要な手配（necessary arrangement）を行った個人や企業が権利や義務をもたなくてよいのでしょうか？　仮にそのＣＧＷが公序良俗に反する、反社会的で差別的な表現を含む（現実に2016年にそのようなＡＩの発言がネットに流れたという事件もありました）際に、名誉毀損や、民法他の不法行為に問われなくてよいのでしょうか？　彼らの責任が不問なら、誰ひとり、法的には責任をとるものがいなくなってしまいます。

「ＣＧＷの著作者」について、1988年とは社会、技術の状況が大きく異なってきています。ですので改めてディープラーニングが産業界で応用されるようになった昨今の視点で考えてみます。「ＡＩシステム開発者」「ＡＩシステム利用者」「そのプロジェクトを起こして製作した（させた）プロデューサー」などが該当し得ると思われます。この三者だけでも同時に存在していますので、互いに権利をめぐって争うような事態が起こり得ます。その場合、貢献度、関わりの度合いの違いによって、権利が配分されるようなことになりそうです。

従来、日本のように著作物に「Ⓒマーク」が不要の無記名主義の国では、基本的な権利は自然発生的に確保されていました。ところが、サービス提供側にAIが入ってくると事情が変わります。たとえば、ユーザにイラストを作成・加工させてくれるウェブサービスを想定してみましょう。ほとんどユーザの手作りの作品も出来てくるし、ほとんどAIが生成した通りの作品も出てくることでしょう。そうなると、ここで作られた制作物の著作権は曖昧で、個別契約ごとに変わるようになってしまいそうです。そうなると事実上、ほぼ常に（ユーザはほとんど契約条文を読まずに「OK」を押すので）、大手ウェブサービス提供企業に有利な著作権の帰属を定めた契約となってしまいそうです。

AIが真の自我、意思をもって、権利を主張し、恣意的に利用権を第三者に与える事態も議論はされてきました。しかし、そのようなAIを作れる見通しは、まだ立っていないので、あわてて議論する必要はないでしょう。上記のように、著作物の生成に、ユーザが自分の個性を発揮し、実際には大きく貢献しているにもかかわらず、全権利が大手ウェブサービス提供企業に渡るのは望ましいことでしょうか？　ベルヌ条約、著作権法の精神には明確に反していると思います。この精神は、「貧困に苦しんで若くして死んだモーツァルトやゴッホの二の舞を作らない（著作物の創造に実質的に寄与したものが経済的な不利益を被らない）」という権利者の保護を希求するものです。

一方、先のイラストを作成・加工するサービスのように、若干なりともユーザの個性のおかげで恣意的な表現が生成されたのであれば、ユーザにも一定の著作権を認めるべきではないでしょうか。特に著作人格権のほうです。１９８８年頃には多くの人の想像の圏外だったＵＧＣ（User Generated Contents）を集積する巨大サイトが林立する時代に、ユーザ保護の視点はきわめて重要になってくるかと思います。

ベーシック・インカム時代には従来の著作経済権の考え方そのものが消える可能性

著作経済権については根本的に事情が変わってくるかもしれません。仮に今後、ＡＩの発達のおかげで、機械が労働の多くを肩代わりし、人間はベーシック・インカムに支えられて自由に、対価を気にせず、様々な形で表現を行う時代が来たとしましょう。そのときは、著作権保護の目的、根拠自体が変わってきます。

著作権法は長年、人間の創作のインセンティブとなるように、著作物を保護し、無断複製を禁止してきました。そもそも、機械にそのようなインセンティブ、保護は必要か、という問題があります。もちろん、そんな機械（ＡＩ）を進化させる人間へのインセンティブは考えられます。彼らが、もっともっと優れた創造力をもつＡＩを開発したくなるためのインセンティブです。そこで、研究者個人や企業に与えるための著作権はあり得るでしょう。しかし、彼らにはＡＩ自体のソフトウェアの著作権で十分かもしれません。そのソフトウェア（ＡＩ）が生成するコンテンツにまで権利を与えなくても、インセンティブが落ちることはない、という考えにも説得力があります。

スイスで２０１６年に国民投票にかけられた月額30万円という十分な額のベーシック・インカムが実現した世界では、さらに話が違ってくるかもしれません（いったんは否決されても、今後人間の知的単純労働がＡＩに代替されていくならば、マクロ経済的にはベーシック・インカム実施のハードルはどんどん低くなるはずです）。

普段は利益を求めないとして、たまたま利益が発生したら、上流へフィードバックする形で、その時点で貢献者たちを見つける。そして、彼らの貢献度を評価し、今後彼らにその利益を分配する比率を決める、といった枠組みなどはいかがでしょうか？こうなれば、コピーライト＝複製権をあらかじめ（何らかの対価と引き換えに）許諾するという現在の著作権の考え方とは、根本的に違う発想、仕組みとなります。また、利益より名誉、著作人格権のほうが重要視されていきそうです。機械創作物をきっかけに著作権法や、その運用、社会システム自体を見直した結果、著作権の考え方自体が消滅するかもしれない、というひとつの予想であります。

AI時代は文化の時代

「100万PVの1作品」を目指す人間vs「1PV作品を100万」作るAI

本章の最後に、今後、機械が生成・創作する文章、画像、音楽、動画などの作品がどう仕事や生活に関わるか考えるための定量評価的な視点を述べてみたいと思います。最も重要なのはこの表題の通り、圧倒的に低コストで高速に大量に作品を生成できる機械の特徴を踏まえるべし、というポイントです。

少量の極上な作品を生み出せる人間の天才の場合、たとえば、1978年にJRの前身、日本国有鉄道のキャンペーンで「いい日旅立ち」の6文字を大ヒットさせることができました。歌謡曲やテレビコマーシャルで1億人の脳裏にこの6文字を刻みつけたのはコピーライターの糸井重里さんです。機械にこのような役割を求めるのは筋違い、的外れです。ウェブマーケティングの言葉で説明してみると、100万PV（ページビュー）の記事や動画1本を機械に作成させるのでなく、1PVの記事や動画を100万本生成する、となります。多種多彩な趣味、興味・関心をもつ消費者100万人の一人ひとりに対し、彼らが1回観れば十分に元が取れるような作品を100万本、AIにより自動生成せよ、ということです。

先のAP通信の事例では、従来は記事化できていなかったマイナーなスポーツの試合も対象にしたりして、「ロボット記者」が1、2桁多い量の記事を、従来と同様のコストで生み出せるようになりました。このような動きは、PV競争の中で、多くのメディアが追随するのではないかと思われます。その究極の姿が1PVの記事を100万本作るということになります。本当にそんなニーズがあるのでしょうか？

地震や台風などの災害発生時に、個々人の親戚、友人・知人が今どこにいるかの状況がすべて正確に把握できているくらいに、ビッグデータが整備されているとしましょう。そうなれば、「どこぞの誰々の辺りは震度3。倒壊家屋はない。運悪く誰々さんは移動中にがけ崩れで通行止めになった道路の途中で立ち往生しているようです」

など、その知人専用に、たった今知りたい情報を整理して伝えることも可能になります。1PVで十分な情報配信です。裏取り、映像・音声による確認は、付属のリンクをたどって後で行うとして、速報が自然言語で届くのは悪くないと思います。

グーグルやフェイスブックは、写真（静止画）やビデオ素材から、30秒〜数分のビデオ要約を無料で個人向けに作成するサービスを提供しています。AI的なサービスと感じられるかはともかく、背後にはふんだんにAI技術が使われています。適切に要約してくれるのであれば、この上なく個人の時間が貴重になったアテンションエコノミーの時代に、誠にありがたいこととなります。同様の技術で、急ぎ、事実経緯のサマリーを見たい、などのときにAIが短いビデオ要約を生成してくれれば、大きな経済的価値を生んでくれるでしょう。

人間の創造性、アートに資するAI

日本では、ゲームやアニメ文化が発達、浸透しています。このため、動画共有で遠隔地点にいる者同士で盛り上がろう、面白いコンテンツをシェアして互いにウケを狙おうという素地があります。これを梃子に高度な機械学習の産業応用をはかろうとするコンテンツ制作会社が、生成系のAIの発展、産業応用で世界をリードできる可能性が十分にあります。デジタル・アートの分野で世界的に活躍するチームラボ社なら、AR技術（Augmented Reality：拡張現実）を駆使し、今後はそれをAIと人間のコラボ、融合した舞台芸術を生み出してくれそうです。

AIの時代には、人間は、ビジネスや技術面の創造性はもちろん、個性、文化、アートな感性で、価値をアピールできる比率が高まります。文系学部、芸術系学部の軽視などとんでもない間違った政策です。人間を出来損ないの機械、鈍感で不正確な定型業務に携わる中途半端な存在のように教育してはなりません。遊び心、悪戯心、新しい美の追求を思う存分、のびのびできるように、教育の現場を変えていくことで、日本の勝機が増えるでしょう。ハードウェアがタダ同然に安くなり、機械学習エンジンを含む共通ソフトウェアも多くは商用フリーで出回る時代です。より上位のコンセプト創造、オリジナル・コンテンツの制作、その流通・享受の仕組みのところが、必然的に、大きな価値を生むようになります。

第8章

日本のAI開発はどう進めるべきか？

厳しい国際競争の中で日本はのんびりしている？

「不思議な凪」にある？　日本のAI研究

情報処理学会誌（『情報処理』）2016年1月号の巻頭言「研究の出口戦略」で、辻井潤一・産業技術総合研究所人工知能研究センター長は、「不思議な凪《なぎ》」にある日本の人工知能（AI）研究状況と、それと対照的に激烈な競争となっている欧米中国の状況に触れています。

前回の人工知能ブームが収束しかけた頃に米国MIT（マサチューセッツ工科大

学）ＡＩラボ（人工知能研究所）に滞在していた筆者は、日米間の競争意識、互いに危機感を与え合う関係を肌で感じました。当時は、半導体も計算機も日本企業が世界トップクラスを占め、論理プログラミングによる推論マシンを主軸とした第５世代コンピュータ開発プロジェクトで欧米に刺激を与えていました。しかし、独創的なソフトウェア開発、特に人工知能の分野では米国に水をあけられているのを実感しました。

米国在住時、一時同室だったマービン・ミンスキー博士のナイーブな発想と苛烈なまでに考え抜く姿は印象的でした。視覚研究の天才デイビッド・マー氏の共同研究者、トマソ・ポッジオ博士が楽々と独創的な新しい学習モデルを考えつくのを目の当たりにした皮膚感覚も残っています。世界中からＭＩＴを訪問する多数の研究者が、コロッキアム（colloquium）という非公式な研究報告で、まだ生乾きの思いついたばかりのアイディアを早口で披露します。そこへ、学生からも鋭い質問、反論があり、両者が口角泡を飛ばす様子は、知的創造力の層の厚さを見せつけてくれました。

ビッグデータ時代、ＳＮＳや検索、画像共有サービスなどのグローバルな巨大クラウドサービス運営業者の多くが米国に本社を置いています。１９８０〜90年代は、日本企業独自のノウハウ、文化、知恵に敬意を払い、学んで、ＩＴにも組み込んでいったＩＢＭ、マイクロソフト、オラクルといった伝統的プレイヤーが世界のＩＴ業界に君臨していました。彼らは自己変革を果たし、現在でも十分強力です。しかし、グーグル、フェイスブックなど日本市場を最初のモデルにしたりはしない新興の巨人クラウド事業者のように、全世界にあまねく無料サービスを提供して君臨しているとは限りません。この選手交代により、欧米拠点のグローバルＩＴ企業が往時ほど日本びいき、日本重視ではない、ということになりました。

筆者は、２００３年から２００５年にかけて、大手複写機メーカー、リコーの欧州研究拠点、中国研究拠点を開設する仕事をお手伝いしました。その一環で、中国トップの精華大学情報系博士課程の学生七十数名の前で、共に研究開発に邁進しよう！と勧誘する講演を行いました。中国の大学は、情報系の学部・学科の定員が日本の約40倍で、人口比よりもはるかに重点化されています。加えて、通常の学部、院とは別枠で、産業界で即戦力となるソフトウェア開発の担い手を養成するためのソフトウェア学院が併設されています。

１９８０年代はハーバード大学はじめ米国有力大学のアジア人留学生の多くが日本人でしたが、現在は中国人で占められていると聞きます。筆者の経営するメタデータ社には、湖南省で年間50万人の大学受験者の中で第4位だったという優秀な中国人スタッフも在籍していたことがあります。お互い早口の英語が基本ですが、下手な日本人同士のコミュニケーションの数十倍の高密度で、内容の濃い対話の中から毎日、次々と新アイディアが生まれました。彼はAIに人生を捧げると公言し、ひたむきな情熱で東京大学大学院では博士号取得を目指して昼夜を問わず研究。学位取得後の2020年春、倍率2000倍の狭き門を突破し、グーグルにAI研究者として入社しました。

欧州についてですが、日本、米国ほど、左右にブームが揺れ動く振子の法則が働かず、AI冬の時代もマイペースで地道に重要な基礎研究を継続してきた印象があります。なかでも、堂々とAIを名乗って知的情報処理の研究を続けた世界トップクラスの研究企業DFKI（GmbHという会社組織のドイツ人工知能研究センター）という組織があります。第2次人工知能ブームの象徴だった日本の第5世代コンピュータ開発機構に刺激されて、ずっと少ない予算で設立されました。冬の時代にも、順調に成果を上げてきています。このDFKIやmp3を発明したフラウンホーファー研究所（ドイツ全土に74点在）と2年間深くお付き合いした経験から、皮膚感覚で彼らのモチベーションを理解しています。給料を稼ぐためにも産業界に本当に、実質的に貢献することを切望しつつ、だからこそ哲学をもち、流行に左右されず、基礎研究もおろそかにしない。こんな真摯な態度が、所長クラスにも、若手の博士候補者にも貫かれていたように思います。

ＤＦＫＩは、６つほどの傘下の研究所の所長がカイザースラウテルン、ザールラント両大学の教授を兼務し、スピンオフ・ベンチャー企業を多数生んでいます。その一方で、ヴァールシュタールＣＥＯは長年ノーベル賞選考委員を務めるなどして、基礎研究の質も高いレベルで保ったまま、ＡＩ研究者を過去30年間、一貫して育てつづけました。

筆者がＤＦＫＩとリコーの共同研究体制の発足に尽力した際の印象では、欧州は、当時も現在も良い意味でマイペース。ドイツの強みのひとつは、全国に分散する優秀大学を中心とした産業クラスターなど、本格的な産学連携、ベンチャー育成を全土、すなわち「点」や「線」でなく「面」の国土全体でボトムアップに成功させる粘り強さでしょう。もうひとつの強みは、ＯＳ（Operating System）やＥＲＰ（Enterprise Resource Planning）パッケージ、そして“Industrie4.0”（産業４・０）を何年もかけて、ゼロから構想できるトップダウンの企画推進力でしょうか。いずれも、なかなか日本が敵わないと感じ、素直に協業を申し出つつ、良いところを吸収したい、と考えて実行した経緯があります。

図表 8-1　AI 産業応用の強さ：日中米欧の比較

	日本	中国	米国	欧州
1. 危機感にかられた競争意識	△	○	◎	△
2. ビッグデータ保有度・活用度	○	◎	◎	△
3. ソフトウェア専門学科の定員	×	◎	◎	○
4. ハードウェア開発・サービス化	○	◎	○	○
5. ロボット・AIを受容する下地	◎	○	○	△
6. 哲学、宗教観に基づく未来ビジョン	×	△	○	◎

（出所）筆者作成

日米欧・中国のAI産業化を比較する

以上述べた、ここ30年ほどの実体験と、最近の第3次人工知能ブームを支えるディープラーニングの特性、ビッグデータ、IoTの特性から考えて、AIの産業化、普及に関する次の6つの観点で、大まかに日中米欧の比較をしてみました（図表8－1）。

研究基盤を支える人材の層の厚さでは、残念ながら、AI冬の時代のおかげで、日本は大幅な人材減少に見舞われました。もともとソフトウェア開発者を建築家、デザイナー、アーティストとみなしてきた欧米・中国と違い、日本の大企業では「ソフトウェアQC」などの標語に象徴されるように、ソフトウェア開発者を工場の組立工のようにみなすところがありました。このように、ソフトウェアの研究開発を矮小化してきた悪しき伝統を捨て去るには、思い切った施策が必要でしょう。いまだに、ＡＩの浸透でいちばん需要・人口が減るのがソフトウェア開発者だ、などとＡＩ開発の実態とは正反対の主張をするＩＴ系ジャーナリストが日本にはいます。開発者より彼らのほうがはるかに声が大きいので、認識を改めていただく効果は大きいといえそうです。

文化・科学の伝達スピード、情報量という観点で、大西洋は太平洋よりずっと小さく、欧米は緊密に結びついているといえます。欧米間、欧亜間、米亜間の製造業における水平分業は実に強力で、ノウハウも、意思決定の圧倒的なスピードでも、日本企業は後塵を拝することが多いといえるでしょう。それを乗り越えて、ベンチャーが斬新で便利なサービスを業種の垣根を越えて発案し、大企業との協業するスタイルＡＩ関連で定着する可能性はあるでしょう。これは、「大手は小に従え」（諺「老いては子に従え」をもじって、ベンチャー企業のスピードや発想に従えとする大企業への助言）という経済週刊誌の表紙にもなったくらいですから、一定の勝機はあるといえるでしょう。様々な形態のオープンイノベーションを追求すべきです。

かつて第5世代コンピュータ開発プロジェクトで協業した後、各分野に散った人材が再びＳＮＳ上など非公式のネットワークや、オンライン招集で素早く集う研究会などで若手も交えて議論を再開しています。そのような場で新概念、新サービスの開発をしてしまうくらい、老若男女全員が活発にコミュニケーションし、創造的に活性化できたら素晴らしいと思います。これが、多様でユニークな発想を生み出すきっかけとなり、独自の発想、路線で欧米中に対抗できるのではないでしょうか。

もともと、具体的な、手に触れる、形あるものを作るのが得意だった日本人の特性を生かし、そこを出発点にサービスを考える。仮にオークションなど、ある種のサービスの形態、手順、内容で諸外国に一時後れをとっていても、その反動で一足飛びに世界最先端サービスを発想することもできます。世界中のサービスが、URLひとつで、あるいは、スマートフォン（スマフォ）でダウンロードするだけで、実際に触ってみて、その実態を評価できるのですから。

「ロボット・AIを受容する下地」で日本にだけ「◎」を付けたのは、鉄腕アトムはじめ、ロボットや人造人間のストーリーの大部分を好意的に受け取る文化があることがひとつの理由です。もうひとつは、世界一少子高齢化が進むことが分かっていながら、言葉や文化、肌の色の違いに慣れていなかったり寛容でなかったりする国民が多いと思われることによります。曰く、移民・難民の受け入れは欧州に比べて進みにくいだろう、だから、人手不足を補うためには、ロボット・AIにより、生産性向上を図るしかない、とみている経営者、労働者が多いと思われるからです。2019年春の実質移民解禁のように、AIが人間の単純労働者ほど柔軟でなく、高いコストかけても単一業務しかロボットが担えない間はまだまだそのようにはいきませんが。

「6．哲学、宗教観に裏打ちされた未来ビジョン」については、欧州の伝統の強みが光ります。粘り強く考えつづけ、何千回失敗しつづけてもニューラルネットワークを諦めず、ビジョンや理念を信じて、ついに、2010年代の成功をもたらしたのは欧州を転々として研鑽し、カナダの大学などで研究していた3人でした。定義すらあやふやなＡＩこそ、ビジョンや理念、それらを支える宗教観、人生哲学が重要です。残念ながら、良い意味で原理主義的に、理念、行動哲学で常に一貫した行動、言動を貫く日本人は少ないのではないか、という気がします。ブームに乗せられる人は多いが、世界を作り出すために、自ら先陣を切り、軋轢を乗り越えるベンチャー経営者的人材も少ない。彼らを支える投資機関、金融機関の理解、性根のすわった支援も、日本は欧米に比べて弱い、と言わざるをえない気がします。

ほかにもいくつか、国ごとの事情の違い、基礎研究や産業応用を後押しする公的資金の規模などの違いもあります。金額よりも人材の層の厚みの違いのほうが影響は大きいとも考えられますが、彼らの研究生活を支える競争的資金の存在は重要です。第5世代コンピュータの1500億円、筆者が研究員を務めた大規模知識ベース開発プロジェクトだけで150億円使ったのには及ばないにしても、合計1000億円規模の出資を政府機関が考えているのは悪くありません。

中国は、ビッグデータの「強制収用」が可能な点で、機械学習系の技術開発の点で有利と述べました。もうひとつ、ジュネーブ条約未加盟で、自動運転への法規制が最初から緩い点が挙げられます。エンジニア人口も多く、試行錯誤が同時並行的に多数行われやすい利点もあります。加えて、重要なのが、やはりトップダウンの施策により、遠隔操作インフラを導入しやすい点で有利です。一説には、自動運転から手動への移行には普通の人は60秒かかるといわれます。これは高速道路で1・7㎞走行してしまう距離であり致命的です。5Gインフラを活用し、高度な警告システムにより、手の空いている遠隔操縦のプロに瞬時に交代することで事故率を激減させられる可能性が高いでしょう。

中国では、多数のユーザを巻き込んだ超大規模な社会実験が可能です。ウェブサービスも、たった2000万人ではまだテスト段階で、1億人を超えなければ本番サービスとは到底いえない、などといわれます。中国にはユーザ数が10億人を超えるSNSがあります（WeChat）。中国のSNS運営者から、「たった2000万人の会員では、そのサービスはまだα版、実験段階、黒字化はまだ先だね」とコメントされて驚いたことがあります。プラットフォームの規模が大きければ大きいほど薄利のビジネスモデルも黒字化の可能性が高まります。ＳＮＳ上の大規模アプリで突き抜けた成長を企てるベンチャー企業にとっては実に挑戦しがいのある場です。

中国語圏、英語圏でのＡＩサービス展開が必要

ＡＩによる新サービスで、スケールメリットによって黒字化し、ビジネスとして成功したいのであれば、やはり中国語圏、英語圏でのサービス提供は要検討でしょう。自然言語系のＡＩは、日本語、英語、中国語などの意味、文脈を解析するなど言語に深く依存する部分があります。ですので、ＩＢＭのワトソンが当初の英語版が出た後、日本語版が出るまでに2年かかったように、グローバル展開にはコストがかかります。まだ人間の脳内にしかない知識を、自然言語を介してうまく取り出して活用する仕組みには普遍性があるはずです。しかし、多種多彩で膨大な個別知識を自動的に獲得できる水準まで自然言語系のＡＩが進化するにはしばらく時間がかかります。

一方、メニュー画面の現地語化などは、ＡＩ化に比べれば全然たいしたコストではありません。自然言語に依存しない画像認識応用のＡＩサービスでは、日本企業も、どんどん中国語圏、英語圏に進出してほしいものです。純粋なＩＴ上だけのサービス

よりも、ＩｏＴセンサーから取得した生データや、リアルの現場でスマフォで撮影された映像を認識する、といったＡＩサービスのほうが具体的で、日本人には立ち上げやすいことがあります。そこにはリアル世界とクロスオーバーする要素があり、ＡＲ（Augmented Reality：拡張現実）の技術など、日本がビジネスやアートの分野で得意としてきた要素を活かすことができます。

ＩｏＴには思い切った初期投資が必要なときもありますが、誰もがもっているスマートデバイスを活用すれば、巨大資本なしに、ちょっとした便利さを生み出すアイディアをＡＩ的な手法で実現し、アプリ市場に載せてグローバルなサービスとして展開できる可能性もいつでもすぐそこに存在しています。

専用ＡＩから汎用ＡＩを目指す、「コスパよく実用化」する道

「強いＡＩ」派、「弱いＡＩ」派が協調

機械で人間のコピーを作ろうという「強いＡＩ」や、それを支える周辺の学問の進歩にも期待しています。たとえば神経認知科学の研究では、信号レベルで脳内の発話が読み取れるようになりつつあったりします。人間そっくりのパートナーとしての

ＡＩ、強いＡＩの研究者は常に、そのような研究動向に注意を払うべきでしょう。そして、単語と結びついた概念が想起されているか（〝木〟≒“Tree”（英）≒“Baum”（独）ではほぼ同じ脳内部分が活性化しているか）、さらにそれらを組み合わせた複合的な概念、知識の表現についても、人間をお手本に研究していくことになるでしょう。

前回の第2次ＡＩブームを振り返ると、自然科学的な裏付けもなしに、「人間がやるように○○する人工知能」のように勝手に主張する論文が目につきました。また、アイディア先行で、応用目的や評価尺度を定めず、十分な実験も経ていない研究も散見されました。目的が不明確なままＡＩの原理、方式や、時には開発ツールの優劣を発表するような、根っこのない研究も多かったように思います。今の第3次ＡＩブームでは、再現実験に必要なソフトウェアはもちろん、学習に必要なビッグデータさえも、研究目的でなら、かなりオープンに出回るようになっています。そこで評価の公平性、再現性は、生物系など他の研究分野に比べても高い水準で確保されています。

かつて、第2次ＡＩブーム以前には、論理プログラミング派、「知識こそすべて」派、ニューラルネットワーク派、遺伝アルゴリズム派などが入り乱れて哲学論争、宗教談義の様相を呈していたことがあります。当時からＡＩの定義もバラバラなままで、優劣の基準、評価尺度も曖昧なまま、直観に訴え、「人間がやるように○○する

ＡＩ」という主張が学会や産業界で見られました。胸に手を当ててみて考え（これを「内省」と呼びます）、本当に脳内で似たようなプロセスで判断、処理しているようであれば、それを心理学的実在性（psychological reality）と呼びます。ヒトと同等のＡＩを目指す「強いＡＩ」の側は、頻繁に心理学的実在性を主張します。一方、道具として役立つＡＩでよいじゃないかとする「弱いＡＩ」の側はそれを批判します。第2次ＡＩブームの頃には、両者の議論は嚙み合わず、バラバラに議論、研究していた観がありました。

これに対して、第3次ＡＩブームでは、人間のように汎用的な知的能力をもったＡＩすなわち「強いＡＩ」から、産業応用で道具として役に立てばよいとする「弱いＡＩ」派も積極的に学ぼうとしているようにみえます。深層学習の開祖3人のひとり、Ｙ・ベンジオ教授は２０１９年12月の講演で「弱いＡＩ」を支える仕組みを研究ツールとして「意識」の謎の解明に近づけるのではと語りました。脳内の知識表現や因果関係の理解のモデルも描こうとしています。

「強いＡＩ」派も、極端なシンギュラリティ派など一部を除いて、ＡＩの行く末だけを哲学的に考えるような怠慢な愚行は許されないと感じていることでしょう。毎日飛び込んでくる具体的な専用ＡＩ応用のニュースに耳をふさぐことはできません。そのようなニュースの中でも、比較的汎用性に優れたＡＩの応用アイディアを、自身の「強いＡＩ」研究のヒントにして、少しでも研究を加速したい、と考える「強いＡＩ」派の研究者も散見されます。かように、両者は対立するよりも協調し、互いに敬意を払っている感じがします。

アルファ碁（AlphaGo）は力づくの方法ながら、大きな成功事例

「作ることで対象を理解する」アプローチの一種で、専用ＡＩを経て汎用ＡＩを目指す方針を採用し、成功している事例が出てきています。その典型的な大成功例が、２０１６年初頭に雑誌*Nature*に短い論文が掲載され、３月に囲碁の世界の頂点のひとり、イ・セドル氏に4勝1敗で勝利したAlphaGo（アルファ碁）です。

ディープマインド代表のハサビス博士は、AlphaGoについてテレビ取材された際、「専用ＡＩをいくつか極めて汎用ＡＩに迫りたいと」言いました。意図的にこのアプローチをとっていることを明言したわけです。AlphaGoを取り上げたＴＶの特集番組では、（AlphaGoが）「感覚で理解しているのです」とか、「自分の意思で学習」などのナレーションがありました。これらは、大きく誤解させてしまう表現であり、実態と１８０度異なる形容です。

もちろん悪意はないでしょうが、結果的にセンセーショナリズムとなり得ます。すぐに人間のように自我、意識をもち、スイッチを入れられることもなしに自律的に意欲をもって学ぶＡＩができる、いや、もうできているのかもしれない、という間違った認識を広め、煽るという意味で、いただけません。同様に、「大局観をもって」「自ら学ぶ」も誤解を招きます。後者は、「自動的に良い指し手を計算（そのための知識を生成しキャプチャー）」などと言い換えるべきです。

ハサビス博士以下、ディープマインドの20名が連名となっている *Nature* 誌論文 “Mastering the game of Go with deep neural networks and tree search” (「深層ニューラルネットと木構造探索により囲碁をマスターする」 *Nature* 529, 484-489, 28 January 2016, - doi:10.1038/nature16961) を少しかみ砕いて説明すると次のようになります。

まず、各局面の把握や、次の局面（互いが自分にとって有利な一手を打った後の次の盤面）をディープラーニングで学ばせるというアイディアは２０１４年以前からありました。そして、すでに他の複数の研究者によって実践され、ある程度有効である（初心者には勝てる）ことが実証されていました。ディープマインド社はネットに公開された3000万もの対局データで世界最大規模のトレーニングをディープラーニングに施しました。

次に、強化学習といわれる、数十年前から使われている機械学習の手法で、AlphaGo同士で戦わせて勝率を上げています。さらに、モンテカルロ木探索アルゴリズム（日本でも情報系の学科で半世紀ほど前から学部生に教えている標準手法。2006年から囲碁に応用されてきた）を組み合わせることで、既存プログラムに99・8％勝利。欧州チャンピオンFan Hui二段に5連勝した、というのが上記*Nature*誌の2ページの内容です。以下に、具体的な技術内容を、アルゴリズム名と数字で押さえます。

● 1st step（局面評価）：

13層のCNN（Convolutional Neural Network）を用いて、インターネット碁道場KGSの上級者の棋譜16万対局、約3000万の局面データを教師データとして、石の位置のすべての生データを入力して、次の一手を予測するCNN1を作成。50個のGPUで3週間。予測精度57％。

●2nd step（自己対戦による強化学習）：

上記CNNの出力を「初期値」として、「試合の勝利」を報酬として、自己対戦による強化学習（Reinforcement Learning）を1日、実行。この強化学習を行う前のCNN1に対し、強化学習後のCNN2は、80％以上の確率で勝利。

●3rd step（生成された対局ビッグデータから局面の勝率を計算）：

前 step で自動生成した膨大な対局データから局面の勝率を計算するCNN3を作る。彼らは、これを Value network と呼んでいる。途中まで上記CNN1で自己対局させ、一手だけランダムに打たせる。そのあとCNN2に次の一手を予想させて打たせる。これを繰り返し、3000万局面のデータをしらみつぶしに自動生成する。ランダムに打った直後の局面と、実際の勝敗がどうだったかを教師データとする。この教師データを使って、CNN2を、次の（勝てそうな）手を予測できるようにさらに高精度にしたCNN3（Value network）を実現。ここでも、50個のGPUで1週間トレーニング。

そして、CNN1、CNN3さらに、シミュレーション技術の「モンテカルロ木探索アルゴリズム」を組み合わせて実際の手を決めています。ここについては、20人の研究者の試行錯誤によっておそらくある程度、職人芸的にチューニングしたものと思われます。

欧州チャンピオンとの本番の勝負の際には、1202個のCPUと、176個のGPUを使って、3000万局面のデータを反映した予測器や探索器を構成したとのこと。このあたりは、グーグルの財力を感じます。ただし、一度手法が分かってしまえば、費用は抑えることができます。高々GPU50枚（300TFlops）であり、自前で組み立てられるなら数百万円オーダーの投資で実験設備を作ることができます（2015年時点で）。エヌビディアが、ディープラーニング用のこれの半分の性能の完成品スーパーコンピュータを1400万円程度で2016年初頭に販売開始しているので、普通の会社の投資余力で十分まかなえるでしょう。それよりも、20人の研究者による職人芸のほうが、新規の課題の解決については、余人をもって代えがたいものがあったといえるでしょう。

300TFlops、1秒に300兆回の計算というのは、スーパーコンピュータ「京」の30分の1ほどの計算スピードです。この300TFlopsで1週間というのはどれほどの計算量でしょうか。1秒に300兆回ですから、1週間＝3600秒／

時間×24時間×7日＝60万4800秒で、約1・8垓《がい》回となります。この規模の計算を何回も行ってトレーニングし、本番の対局中に、さらに4倍の計算パワーの計算機があらかじめ生成された数千万局面の勝率の教師データから各々「推奨の次の一手」を膨大なパターンで生成しておいたもの（Value Network）をしらみつぶしに参照して、一番良さそうなものを選んでいます。

以上が、公開論文をもとに、AlphaGoの仕組みを解説したものです。事前に、全世界の全公開対局データや、自己対戦で天文学的なボリュームの勝率データを作っておいた上で、それを対局中にリアルタイムに参照、探索して次の一手を選ぶ。このやり方を、「（人間と同じように）感覚で理解しているのです」とか、「自分の意思で学習した」とか表現するのは、きわめて不適切でしょう。実態とかけ離れている、むしろ正反対の形容、評価だといってもよいくらいです。

AlphaGoも力づくで計算する「弱いAI」です。かつてIBMのディープブルーがチェスの名人カスパロフを破ったときに、天才言語学者で認知科学の巨人N・チョムスキー博士がM・ミンスキー博士に、「ブルドーザーが重量挙げで人間の世界チャンピオンに勝ったこととの何が面白いのですか？」と語ったのと同様の印象をもつほうが自然でしょう。

と言いながら、筆者は、AlphaGoを高く評価しています。AlphaGoのチームは、あえて、囲碁で勝つことしかできない専用AIをまず極める、というアプローチを徹底しました。その過程で、トレーニング用のビッグデータは地球上で現時点で使えるものを全部使いきった上で、自己対局でさらに桁違いに大量の新対局の勝敗データを自動生成する。こうして事前にスコアリングしておいた莫大な量のデータから勝率が高いものを選ぶという仕組みの中では、データと計算方法が綺麗に分離されています。ここが、AlphaGoが、技術進化の盲腸線、どん詰まりの作品ではなく、今後の汎用的な応用につながる可能性を見せてくれるポイントです。データは囲碁専用ですが、各ステップの計算方法とステップの組み合わせ、役割分担は十分に普遍的だといえます。

さすがに、データだけを取り換えてAlphaGoの仕組みはそのままで、他の問題を解けるようにはならないでしょう。しかし、データの表現や量を他の問題向けにアレンジし、調整すれば、他の問題に応用できる可能性はあります。また、過去データからシミュレーション（自己対局に相当）してデータを生成し、その結果を用いて、事前予測を行い、それを実行する（次の一手を打つことに相当）、という考え方は、様々な問題解決に通用しそうです。

この意味でAlphaGoは、専用ＡＩを極めることで、汎用ＡＩを模索した試み、と言ってよいと思います。こう考えれば、AlphaGoの実態を知った上でわくわくすることができるし、先のハサビス博士の言葉が禅問答ではなく、文字通りの意味で正しいように聞こえます。AlphaGoは後にAlphaGo Zeroに進化。正解データを予め大量に用意せずとも、膨大な量の計算によって強くなるなど、汎用ＡＩに向けてＡＩは正常進化を続けているといえます。

教育、人材育成をどう進めるべきか？

かつては世界トップクラスだった日本の研究水準

第2次ＡＩブームで、欧米を刺激し、一部では出し抜いた要因のひとつは、トップクラスの人材がこの分野に集まったということがあるかもしれません。自然言語処理や音声認識、指紋認証などは一時期、日本が世界一ともいわれました。筆者が、国家プロジェクトやＭＩＴに客員科学者として出向する前の時期、本籍だったＮＥＣの研究所だけをみても、音声認識や画像認識で世界トップの成果がありました。迫江博昭博士（後に九州大学教授）が、2段DPマッチングにより言い淀みを含む自然な発話の音声認識を実現したり、浅井事業部長（当時）が、世界中の警察で使われた指紋認識・照合システムを実用化したりした成果です。

ロジックや、数式を基礎にしたAI応用であったため、潤沢な予算というより、独創的アイディアと少数精鋭チームのほうが成果が出やすかったのかもしれません。この意味で、牧歌的時代だったといえそうです。ブームの後半で大流行したニューラルネットやファジイ制御、遺伝アルゴリズム、また、第5世代コンピュータ開発の中心だった並列論理プログラミングによる推論マシンなども、産業界に浸透するに至りませんでした。精度、規模ともに現実の問題を解決できる水準でなかったことや、非現実的に膨大なルール開発の人的コストがかかることが判明したためです。ブーム末期から統計的手法、機械学習という、生来ビッグデータに基づく方式が育ちはじめました。巨大資本を単一事業に投下する猛スピードの意思決定が下せる米国企業の有利さがすでに予想されていたともいえます。

北米の研究開発コミュニティには、世界中から激烈な競争を勝ち抜いて集まり、産学官を常時行き来して切磋琢磨をする体制が数十年前から確立しています。このダイナミズムは、1990年代半ば以降しばらくはAIが禁句となった日本の産業界では容易には勝てない独創性の発揮と、大規模な産業応用のための実証評価を推進する原動力となりました（グーグル、アップルを超える独創的ITサービスを日本企業が生み出せたでしょうか？）。

１９９０年代後半、日本ではナレッジマネジメント・ブームが起こりました。知識創造経営の流行とともに、日本全土をシリコンバレー化しようという「スマート・バレー・ジャパン（ＳＶＪ）」構想をわくわくしながら推進する向きもありました。キーパーソンのひとりだった、小門裕幸・元日本開発銀行ロサンジェルス支店長（後に法政大学教授）から筆者もＳＶＪ支援を請われました。２００１年前後のＩＴベンチャーブームの際には、技術面で小門教授を支えるディレクターとして法政大学に一室もらって、ＩＴ実践講座の授業をいくつも企画し実施しました。ここで、継続的な新技術開発のためのコツや、オープンな文書・データ構造記述言語のＸＭＬやワン・ツー・ワン・マーケティングを題材に、ビジネス企画、ビジネスモデル設計と表裏一体のＩＴの講座を作り出しました。

若い学生、研究者たちは優秀

近年、地盤沈下が叫ばれる日本の高等教育・研究開発者養成システム、特にＡＩを育むIT系、コンピュータ科学の教育はどうでしょうか。質はともかく、量の面では、お世辞にも欧米・中国に勝るとは言いがたいものがあります。特に中国では、通常の情報系の学部・院の定員が日本の40倍ある上に主要大学にはソフトウェア学院という、より実践的なIT開発技術者を養成することに主眼を置いた学校が併設されているからです。日本では、大学院生たちが大学のポストを狙っているうちに、研究者のほうが技術者より偉いものだ、と感じることがあります。実際に日本のIT業界では企業より大学教員のほうが報酬面で恵まれていたりする状況もあります。産業界で火の玉のように物作り、新製品・サービスの創造に邁進しよう、という動機を育み、維持するのは難しいかもしれません。

一方、資質の面では、日々優秀な大学院、学部のインターン生と付き合って体感する限り、悲観するに当たらないように感じています。英語は30年前、半世紀前と比べて、今の学生のほうが当たり前に、はるかに上手に使えます。

彼らの多くは、紙よりオンラインのほうが速く読み書きすることができます。問題が解決するまで、1日で数百本の関連記事、ブログから必要な重要部分だけ抜き出して参照し、数百のブラウザ窓を開いたまま、開発中のコードを直したりしています。平均的に、実質的な読書量も多く、コミュニケーション、プレゼンテーションにも長けています。

標準化が必要な局面で、自らのアイディアを国際標準に取り込んで自社、自国に有利に図る。いわば「損して得取れ！」みたいに議論を戦わせられる、交渉力、妥協的な提案までできる人材はさすがに少ないかもしれません。しかし主に大企業が世界で主導権をとるべく、技術標準でリードする目標を掲げたら、必ずや、そのような若手人材も育っていくことでしょう。

これらの印象は、普段、長期インターン生（大学院生など）と組んずほぐれつ丁々発止の議論をし、アイディアを生み出してきた実体験から得られたものです。朝、「こんなものを作ろう！」と思いつき、そのアルゴリズムを考案する。時にはその日のうちに新しいソフトウェアモジュールとして開発してしまう。このようなアジャイルな創造スタイルは、昭和時代の若者にはなかったものです。令和万歳！

新しい教育の考え方

ＡＩを活かしたビジネスの健全な発展のために、優れた技術とビジネスモデルを創造し、育てるには、多数の優れた素質を、優れた人材に育てていく、新しい教育が重要となります。先述の“X-tech”の一種として、教育のために斬新なＩＴを取り入れたEduTechや、自習向きのLearnTechなどにＡＩそのものを活用することはいろんな意味で有効でしょう。ビジネスというより、人工知能を梃子にして豊かな社会を目指す上でも、教育は非常に大事です。授業が分からなくて苦痛になり、人間らしい、面白い学習を効率よくマイペースでこなすコツをつかみ損ねたまま社会人になった人は大勢いるでしょう。

まず、初等中等教育の場では、ひたすら従順に単純作業に従事するだけのワーカーを作り出すような発想や、仕組みを根絶すべきではないでしょうか。彼らは将来のＡＩに負けてしまいかねないからです。機械的な演習、「ドリル」を反復させるだけのようなやり方は、ＡＩのトレーニングほどにも工夫されていない指導法といえます。そんな指導法では、その生徒は精度もスピードも圧倒的にＡＩに負ける、出来損ないの機械のような存在になってしまいかねません。

将来、もしＡＩのせいで失業者が増えるとすれば、生産性が1年で10倍など、あり得ない速度で向上するか（業界全体の平均としては実際あり得ないでしょう）、あるいは、人材の業務シフトに失敗した場合でしょう。後者は、人間を出来損ないの機械のように使っていたせいで、今後積極的にＡＩを使いこなし、クリエイティブな、非定常的な業務にシフトできない人材が多いままという状況を想定しています。そのような人材を生み出した要因の多くは、過去の間違った教育システムにあるのではと考えます。すなわち初等中等教育、職業訓練、職場での業務経験において、ひたすら一定の作業に「慣れさせる」教育を施してしまったせいである、と。

今後は、未知の対象の本質を素早く理解できる（時には逆に、無用の理解を白らスキップして、ブラックボックスとしてありのままに受け入れられる）知能の高い人材の活躍が期待されます。機転を利かせてその場の判断で知識や様々なAIを取捨選択したり知識を創造したりしながら「良い加減に」動ける人材こそ養成すべきです。一定のパターンを覚え込ませてもAIに勝てないのですから。「良い加減」あるいは「好い加減」とは、もちろん悪い意味、出鱈目という意味ではありません。程よい詳細度、粒度で全体をとらえ直し、全体のバランスをとりながら仕事を進められる、という意味です。

文系、人文科学系、芸術系の人材育成こそ重要

文系学部、特に、社会科学系より人文科学系、そして芸術系の学部こそ育成し、振興しなければならないでしょう。自然科学・工学系でも、AIでも出来そうな後追いの検証実験で小粒の論文を多数書くのでなく、大局観をもち、上司や組織のリーダー

の予測もつかない提案を出し、ビジョンを描けるような人材を生み出したいものです。そんなミニ天才の業績は、何年も経ってからじっくりその凄さが理解されるようなものになるでしょう。そんな人材を多数輩出すべく、創造性を引き出す教育に大きく舵を切るべきではないでしょうか。

天才が多く生息していそうな芸術系学部の強化、定員増にも力を入れるべきでしょう。すでに、美術系、デザイン創造を専門とする学科の卒業生は、オンライン・サービス運営会社などから引っ張りだこになっていると聞きます。ヤフー・ジャパンなどでも、プログラマー以上に貴重な人材として、採用に注力しているようです。オリジナルの芸術作品を作れる彼らなら、オンリーワンのユニークな画像など、クリエイティブ作品が創れます。

一度、ユニークな個性的デザイン、キャラクターを創造できれば、ＧＡＮ（敵対的生成ネットワーク）と呼ばれるタイプのＡＩを活用して、オリジナルと似た雰囲気の新しい様々なキャラクターを量産することも可能です。ひとつのオリジナル作品の生み出す潜在利益はＡＩにより拡大され、時には何桁も大きくなるわけです。こうして、美術系学科卒業などで、本当のオリジナルを作り出せる希少な能力はＡＩ時代にその価値をますます高めていきます。

「なぜ？」を突き詰めることこそＡＩに負けない道

ヒトがＡＩに勝つためには、「なぜ？」と考察し、様々なレベルのヒト、モノ、コトの間を結びつけて因果関係を突き止めるのが鍵となるでしょう。

そもそも、内面からの動機付けや責任感、倫理観といったものもＡＩにはありません。これらがないと誰にも指示されずに、自発的に課題を発見して取り組んだり、独自の問題解決法を思いついたりするのは困難と思われます。このように認識することが、自分自身を、ＡＩと共存する社会で差別化し、戦力化するのに重要ではないでしょうか。

そして、新社会人、いや、学生アルバイトの時代から、自分の趣味、判断で行ったことは自分で責任をとって全うする。自分で自分を楽しく学習、仕事ができるように采配し、自分にポジティブな動機を与えつづけていけるような場を与えるのが非常に大事でしょう。まず先輩としてそのようにやってみせること。危なっかしいからといって、すぐに手を差し伸べるのでなく、小さな失敗で痛い思いをさせるといいでしょう（ＡＩの強化学習のように浅いレベルでなく人格に影響を与える深いレベルで）。

自分自身でとことんやり抜きたい、と思ってスキルを身につけ、達成感を味わってもらえるように支援するのです。

自発的に問題を発見し、それを解決するために、自律的に（ボタンを押されるのを待つのでなくボタンを押す！）枠組みを考え、自分の責任で粘り強く試行錯誤する。このような、ＡＩを使いこなす人材を育てるには、小中学校、高校のうちからそのための模擬体験をしておかねばならないでしょう。

「われわれはお互い、みな違っていて素晴らしい」「クラスに40人にいれば、40の違った新しい答えが出てくるのが素晴らしい」。このように、心から感動し、自らの好奇心をリフレッシュさせながら、教科書にない問題を見つけたり答えを出してきたりした子供たちを祝福し、本心から尊敬する。そのような教師をたくさん養成し、記憶力や計算力のトレーニングはＡＩ、ＩＴに任せる。

児童生徒が自分で考え出すことの喜びを味わい（模範解答と違って独創的であればあるほど先生にも同級生にも称賛される）、知識を操り、作り出す経験をさせてあげる。独創を喜びつつも独りよがりでなく、より優れた先人のアイディア、発明発見を敬うと同時に悔しがるようにも支えてあげる。

このような教育が広まれば、見通せる限りの未来でＡＩに駆逐されない人材が激増し、従順なＡＩの強力な助けで、社会全体で生み出す付加価値、ひいては富が増大するでしょう。そうなれば、ますます人間は人間らしい活動に集中し、好きなことを仕事にできるようになります。好きなことに没頭するのが、最も効率よくスキル向上を図る道。ですので、あとは、適材適所となるよう、ＡＩのマッチングエンジンに頑張らせ、好きな仕事のできるポジションに就ける人を増やしていくのです。

教育にも専用のＡＩ活用が必要

教養・基礎知識・暗記能力・モチベーションが不可欠

このような好循環を回すためにもＡＩ、ビッグデータを活用すべきです。個別知識の習得や、計算ドリルのような単純スキルの習得にはたしかに一対一の個別指導が有効で、これについては、すでにＡＩが助けてくれるようになっています。

今後、個別指導で優れた人材を生み出していくには、教育にＡＩを導入するのが一番と思われます。創造性の土壌には、広大な教養、基礎知識、それを支える暗記能力、モチベーションが必要です。先述の創造性志向の教育と矛盾するようですが、さにあらず。創造性の発揮には猛スピードで頭を回転させる必要があります。そのためには、思考の素材が、CPU内部の高速キャッシュメモリのように瞬時に取り出せる場所に記憶されていなければなりません。すなわち頭の中に暗記しておくことです。

膨大な記憶、多数のことを瞬時に想起、連想できる能力は創造性の強い味方です。現状のAIは、まだ、完全に放っておかれて、自分で世の中を見聞するだけで、自発的に、社会人と同様の基礎知識、常識を身につける能力はもっていません。まして、物覚えの悪い生徒の様子を見ていて同情し、勝手に、その生徒専用に工夫して分かりやすいやり方をその場で編み出して知識を授けていくようなAIは存在しません。近未来にも登場する見込みも少ないといえます。

現場で利用されながらAIの能力も向上

そこで、人間が作った方針、カリキュラムに沿って、基礎知識を構造化して整備した「教育用の専用AI」を導入することになります。これには、初等中等教育の水準、効果を革命的に改善できる可能性があります。「教育用AI」はいくらでも複製して、同時に稼働させることができます。ですので、生徒の人数分、稼働させることで、人間教師を増やさずとも、きめ細かい個別指導を実現しやすくなります。教師一人あたりの生徒数が学校より少ない十数人の塾でも、リアルタイムで一対一で向き合い、なぜ、その生徒が、今そのことの理解に難儀しているのかを全員について把握しつづけるのは困難でしょう。教師は聖徳太子ではありませんから。生徒一人ひとりに個別の処方箋（逆質問、設問、その子にだけ刺さる比喩など）を編み出して教え導いたり、全員の進度を管理したり、などは機械の完全な記憶力と、複数同時並行で作業できる特性を活かして、ＡＩを活用すべきではないでしょうか。

ＡＩによるきめ細かな個別学習支援という点で、日本は学習塾が自らの判断で随時ＡＩを導入したり、開発に協力したりできるところが有利と思われます。学習塾で、全体のモチベーション、趣旨（「なぜこの科目の勉強が大事か」など）を講師が感動的に語った後は、ＡＩチューターが個別指導をする。大学で、大教室で教授が講義を行い、後の実習の時間には、助手やアルバイトの大学院生たちが、個々の学生のところに行って答案用紙を見て、根本的な誤解、勘違いをしていないかチェックして、その学生専用の指導をする。そんなはたらきをＡＩ化したイメージといってもよいでしょう。一部の生徒が未知のタイプの理解困難に陥っていたら、ＳＯＳを出したＡＩに代わって生徒の様子を見に講師が飛んでいく。次回以降はそのパターンもＡＩがカバーできるようになる、というように、現場で使われながらＡＩの能力が拡大していけると、なおよいでしょう。

実際、東京都品川区の学習塾Qubena（キュビナ）アカデミーでは、数学のタブレット教材を使って、一人ひとり別々の進度で丁寧に学習を進めるようにしています。「Qubena」は、各生徒がタブレットに入力するありとあらゆる情報（解答、解答プロセス、スピード、集中度、理解度など）を収集、蓄積、解析して個人に適応させているといいます。

従来の「ドリル」的な教材のように、単純な場合分けや、答えを間違えたらやり直しという制御ではありません。生徒の解答を解析して「生徒が理解していない概念は何か？」、そして、「何が得意で何が不得意なのか？」を判定し、その判定に基づいて、最適な問題を出しつづけるべく制御する。その結果、小学6年生に対して中学1年の1学期14週間で習う範囲を2週間で終え、受講した生徒全員が平均点を上回ったといいます。

この学習効率が持続できれば、中学3年間の数学の全内容を96時間で終了できる計算です。こうして浮かせた時間を、好奇心をそそられる、より創造的な活動に振り向けてはいかがでしょうか。仲間とのコミュニケーション、スポーツ、ゲーム、アート、ボランティアその他の課外活動などの時間を増やせることになります。ＡＩの支援のおかげで、将来、ＡＩに使われるのでなく、ＡＩを使いこなし、ＡＩに指示を出せるような人材として成長できる。これは一見アイロニーのようですが、教育、学習のための道具としてＡＩが活躍すれば必然的に生じる優れた効果に他ならない、と思います。

このほか、前にも紹介した書籍、アクセンチュア編『X-Tech 2020』には、エドテック（EduTech）の事例として、３つのカテゴリに分けて次が挙げられています。

- 学習サポート：リクルートマーケティングパートナーズ「スタディサプリ」、Classi、LinkedIn「ウェブドリル」、スタディプラス、アルクテラス「clear」、Lang-8（HiNative）、マナボ
- 学習コンテンツ：「スタディサプリ」、ストリートアカデミー、Classsi、ＬＣJMOOC、学びエイド、ＫＩＹＯラーニング（STUDYing）、ドットインストール
- 授業／校務サポート：「ストアカ」、Classi、スタディプラス for School、イーキューブ（Banshot）、カヤック（Kocri）、ＰＯＰＥＲ（Comiru）

２０２０年３月、新型コロナウイルスによって休校となった、学校、先生、そして

生徒を支援するため、上記Classiがバーチャルホームルームを提供したり、スタディプラスがオンラインで勉強の進捗管理機能を提供したり、と動いています。

このほかにも、アオイゼミやN高は、すべての中高生向けに授業動画を無料開放、プログラミング教育のTechAcademyジュニアは一部の学習内容を無償で提供しました。ワンダーラボは思考力育成アプリ「シンクシンク（Think!Think!）」を1ヵ月無償提供。「まなびポケット」は、各社から調達した英語学習ドリルや、読解・計算、共同学習、辞書・百科事典アプリ、板書共有アプリなどを無償提供。これらの試みによってオンライン学習の普及に弾みがつくことでしょう。

オンラインのみならずリアルの授業や会議を支える要素技術としては、多人数の発言を正確に聞き分けてテキスト化する音声認識なども開発されています。9つのマイクで、正確に発話者の位置を識別することで、声音に頼らず全員の声をテキスト化。最初は、医師の会合などの限定された用途のようですが、システムがコストダウンされ広く普及する可能性もあります。そうしたら、教育現場で生徒の自由な発言もリアルタイムでテキスト化されるようになるかもしれません。病気がちの子供が後れを取り戻せるだけでなく、過去の関連コンテンツが自動で検索され、参考にできるようなクリエイティブな授業も実用化されるかもしれません。

人々を幸福にするAIを選択して開発すべき

どんな「道具」を作っていくのか?

2019年末のベンジオ教授(深層学習三羽烏のひとり)の講演では、何らかの意識のようなものをAIがもてる可能性はある、としていました。しかし、まだ具体的な勝算の下に開発ロードマップのようなものがあるわけではありません。すなわち、見通せる将来にわたって、AIは基本的に意識、意思、自我、本能的欲求をもてる見込みが(まだ)ありません。この状況では、どんな道具としてのAIを開発し、使いこなしていくべきか、われわれ人間が責任をもって考え抜く必要があります。

AIに、人格や財産権、居住や職業選択の自由を認めるべき科学的根拠や社会的コンセンサスが生まれてくるような状況がいつ訪れるでしょうか。この問いには、2045年に知性の総量でAIが人類を上回るとするシンギュラリティ論者とて回答できないでしょう。ならば、どんなAI、すなわち、どんな道具を作っていくべきか、われわれ人間が責任をもって、ずっと考えつづけていく必要があります。

現状、どんなAIがユーザ、消費者としての人間に受け入れられるかどうかについては、主に市場原理によって淘汰されればよいという考え方もあるでしょう。しかし、人間は倫理的に過ちを犯すこともあります。また、ビッグデータの独占などにより自由市場が崩壊することもあります。市場原理の外側で国家の野望のようなものが戦争の道具としてのＡＩを生み出し、従来の常識を超えた大量破壊、ピンポイントで住民の生命を危険に晒すような事態も起こりかねません。考察、議論した上で、倫理的なガイドラインを設けていく必要があるでしょう。

クルマの未来は「自動運転」だけでは語れない

ＡＩは、良いも悪いも開発者の意向次第、またトレーニングデータ次第です（マイクロソフト社の学習型対話ロボットＴａｙの差別発言を想起）。その進化は、市場の評価に支配されるので、利用者が幸福になり、喜んで対価を支払ってくれるＡＩや、ＡＩを組み込んだ製品・サービスが開発されるはずです。これが予定調和的に起こるか、アダム・スミスが『国富論』で唱えた、「神の見えざる手」に任せておけるか。再び高級スポーツカー「ポルシェ（Porsche）」の社長、オリバー・ブルーメ氏の言葉から考えてみましょう。

「ポルシェ・オーナーなら自分で運転したいだろう」

運転の楽しみを奪ってくれるな、というシンプルなユーザの欲求については、市場ニーズとして、企業が叶えようとしつづけることでしょう。遠い将来、自動運転車以外の路上走行が禁止される事態にでもならない限り。近い将来、自動運転車用の道路と、人間運転用の道路や区域が分離、互いに隔離される時代が来るかもしれません。自動運転車だけであれば、ごく短い車間距離の高速走行でも無事故運用が可能となり、そのための道路の総面積は格段に少なくて済む公算が大きいからです。浮いた土地面積は、他目的や人間運転用の道路として残すこともできます。既存の道路に人間運転車と、自動運転車が混在できるかどうかは、技術面、法制度面からも大きな課題でしょう。

テスラ社のように、自動レーン・チェンジなどから少しずつ現状の人間運転の省力化を進めていく道はありますが、その行き着く先が完全自動運転かというと、必ずしもそうではない気がします。ほとんどの走行時間中は自動運転で、いざというとき突如人間に運転責任を振ってくるというタイプの車が受け入れ可能か。乗員とシームレスに運転を互いに引き継ぐ仕組みはユーザインタフェースの研究課題として非常に難しいと聞きます。最高60秒かかるとの報告もあり、その間、高速道路では１・７㎞も走行してしまいます。

また、乗りこなしも難しいならば、特別な運動神経、才能をもって、それを新種の免許として認定された人だけが運転できる車となるかもしれません。それが、普段はハンドルから手を放して楽をしながら、急にムラムラと高速にドライブしたい欲求が湧いたら自在に愛車をコントロールする。そんな欲求に応えるための高性能スポーツカーとして出現する可能性はなくはないとは思います。

なお、ポルシェ社ですが、２０１９年８月に短赤外線による高精度センサーで自動運転に貢献しようとするイスラエルのベンチャー TriEye 社に出資しました。また、２０１９年11月〜12月に開催された広州モーターショーでは先進運転支援システム（ＡＤＡＳ）を改良新型「マカン」に、時速60㎞以下で作動する、部分的な自動運転を搭載。渋滞時に自動で、前走車を追尾するなど、運転者を楽にする機能を搭載してきました。ポルシェも市街地や高速道路の渋滞を走るのだから当然といえば当然でしょう。

次に、運航、運用に際しての責任を負い、自動車の運行を業としてなす、タクシー、ハイヤーの会社となるでしょう。乗客同士の争いで運転に危険が生じたときや、女性客がひとり乗車した際に勝手に別の客が続けて入ろうとしたのをブロックして先客の安全を確保できるでしょうか。このように、まだ常識・配慮と知恵、初めての事態に咄嗟に対応できる機転を備えた人間のドライバーでないと対応できないこともありそうです。

しかし、これらの事態については、遠隔監視により、営業所や警察への自動通報、乗客保護と証拠の保全などの仕組みを付加することで何とか対応できそうな気もします。出発地は駅前タクシー乗り場や営業所などの衆人環視のところに限定し、当初は昼間だけのサービスとして夜間は休止するなどから事業をスタートさせることができそうです。

レンタカー、カーシェアリングの場合、借り手がその都度、車両運行契約した際の契約者が主体であり、この場合、非乗車の契約会員となる可能性があります。当面は乗客が主たる責任を負い、運営会社、車両のメーカーが、サービスの瑕疵や設計上の欠陥について限定的に責任をとることで事業化できると思います。不慣れな車種、個体を運転するときは、自分の愛車を運転するよりは、事故確率が一般に高いと思われるので、臨時利用における自動運転の恩恵は大きくなることでしょう。

米国交通運輸局が２０１６年２月に、自動運転車のＡＩを人間とみなす、という人格認定をしたというニュースが流れました。これが、単なる観測気球でないとすると、あまりに思慮不足といわざるをえません。ジュネーブ条約の「人間がハンドルを握って運転していること」という規定は、操作方法や、見かけ上の操作主体を定めただけではありません。むしろ、法的責任、社会的責任をどこに（誰に）帰するべきかに帰結するものです。ＡＩにこれらの責任がとれるはずはありません。日本政府がタクシー会社などが１００％責任をとることを絶対条件に、２０２０年に自動運転タクシーの実証評価、社会実験を目指すという方針としたのは妥当といえるでしょう。

責任といえば、具体的に、自動運転中に歩行者を轢《ひ》き殺す死亡事故が起こったとして、ＡＩを刑務所にぶち込めるでしょうか？　不可能ですし、行動の自由などの基本的人権や財産権を制限される意味をもった責任主体ではないので刑罰自体が無意味です。

２０１６年５月に69歳で死亡した象のはな子が飼育係ら2名を踏んだりして死なせたことがあっても死刑や終身刑にはされませんでした（そもそも人間社会の刑法は適用されませんが）。生命体でさえないＡＩに責任を問うのが無意味なことは明らかでしょう。

ですので、責任者として乗車する「後見人」役の人間や、タクシー事業を運営する会社の代表取締役などが、ＡＩに代わって責任をとることになります。たとえば、彼らが何らかの回避行動をとらなかった、指示しなかったと認定される重過失の場合に、死刑はなくとも終身刑まではあり得ると覚悟しておく必要があるかもしれません。

第9章 AIと人間の未来を恐れるなかれ

ディープラーニングが人類を駆逐する?:シンギュラリティについて

反証可能性のない議論

2045年に知性の総量で人工知能(AI)が人類を上回るとするいくつかのシンギュラリティ論(AI以上に定義が曖昧なものが多く、筆者には科学的に厳密な定義を代行できませんが)については、「はじめに」に記したように、きわめて懐疑的に思います。

一部のシンギュラリティ論者は、「生物が自らを進化させたように、AIがAI自身を全然違う知性を発揮できるように自らを進化させる」（たとえるなら言語を獲得するなどの根本的進化）と言います。また、「ＡＩは、別種の『知性』であり、異なる動作原理から現在『進化』しているＡＩは、生物とは違う進化の過程を辿るのだ。だから、何かのきっかけで意思をもって自らを進化させるようになっても不思議はない」と述べるＡＩ研究者もいます。これらは、反証可能な（falsifiable）仮説になっておらず、科学的な議論には値しません。

ヒトの脳との比較では、ソフトバンク創業者の孫正義さんが、「脳の神経細胞の数を、コンピュータのＣＰＵ（中央演算処理装置）やＧＰＵ（グラフィックアクセラレータ）のトランジスタ数が数十年以内に追い越す。だから、その能力も人間に比肩できるようになってくる」というプレゼンをされていました。これは誤解を招きます。３Ｄの完全立体配線である脳は、ひとつの神経細胞が平均で他の2万個もの神経細胞とつながっています。ですので、高々周囲の数個のトランジスタとしかつながれないＣＰＵやＧＰＵとは、同じ素子数、細胞数でも、何桁も複雑度が違います。

他人が痛い思いをしているのを見ると痛みを感じさせるミラー・ニューロンをはじめ、多種多彩な「素子」や未知の構造の回路が脳にはあります。一方、セロトニンなどの化学物質などを介して数ミリ秒単位で情報が伝達される神経細胞に対し、トランジスタは、数十億分の1秒以下（ナノ秒、ピコ秒）で隣の素子にデータを送ることができます。

ディープラーニングの場合は、この高速ハードウェアを活かして、ソフトウェアで、膨大な並列計算を実現し、ヒトの脳を模倣しているとされます。しかし、ディープラーニングの構造自体は100％把握されており、設計者のアイディアを超えて、理解不能なレベルまで、自分で自分の基本構造を変えてしまうようなことが起こり得るのかと問えば、それが起こると断言するのは科学的な発言とはいえない気がします。

シンギュラリティ論や、「学習」「予測」「推論」「感覚的に理解」などの用語を、このように括弧付きでAI専用の定義の下で使わないことで混乱が生じます。これらを人間の「学習」「推論」などと混同することから、おかしな議論や未来予測が出てきてしまうのです。怪しいと感じたときは、用語の定義を確認し、眉につばを付けて注意深く接する必要があるでしょう。AIについて勘違い、誤解に基づく過度な期待（恐れの裏返し！）もせず、かといって決して軽視もせず、積極的に人々の幸福のためにAIを採用、活用すること。これが正しいアプローチではないでしょうか。

道具の能力は人間の能力の一部を超えていて当たり前

第5章の猫認識の解説などから、耳学問を脱して、第3次AIブームの立役者、ディープラーニングの本質が理解できた感覚がもてたかと思います。入力画像や、音声、単語列、などの外界の刺激から特徴とおぼしきものをAIが高速大量に、忠実に認識するようになります。こうして、専用AIが、ヒトの能力を超えはじめた結果、ますますコンピュータが人間の役に立ってくれそうで、ありがたいことです。

道具は、人の能力の一部を最初から超えていて当たり前です。そうでなければ、道具としての存在意義がありません。数十万年前か数百万年前に、人類の祖先が初めて3メートルの棒という道具で、高い木の上の果物を落として食べたときから、道具は、人間の五体だけで成し得る能力を超えた働きをしています。ですので、(道具としての) AIがいつ人間の能力を超えるか、という議論は無意味です。道具として誕生した当初からその道具が設計された機能については、AIは人間の能力を超えているのですから。そして、AIが人間の能力の一部を超えているからといって、シンギュラリティ論者の主張を聞きかじった知人のように、「ディープラーニングとかいう凄い人工知能に沢山学習させると人間を抹殺する意思をもつだろう」と考えるのは、あまりに飛躍しすぎています。

そもそもディープラーニングの代表格、CNN（畳み込みニューラルネット）やRNN（再帰型《リカレント》ニューラルネット）が目下得意とする「パターン認識」は、目や耳からの刺激が何であるかを忠実に判定する視覚、聴覚の能力です。人の脳内の思考を模したものではありません。「意思」や「目的意識」「価値観」、因果関係などの「推論（第2次AIブーム、第5世代コンピュータ開発の目標でした）」でもありません。

そして、これらに基づく、「理由付け（「なぜ？」を発しその回答を見つけること）」などは一朝一夕にできるものではありません。まして、人間の脳と同じ働きの機械を作ろうとするなら、この「強いAI」は、「自意識」や、「好奇心」、飽きや反感、衝動を含むあらゆる本物の「感情」をもつ必要があります。さらに、責任感、猜疑心、同情や、皮肉や当てこすりを含む多彩な言語行為、相手の口惜しさ、負け惜しみ、プライドを独創的な方法で活用する能力なども必要になってきます。これらを備えた人格であることを前提に、対話相手を本当の意味で理解し、時に説得することができます。

人と接して交渉し、納得してもらい共感を得て合意に至る、というプロセスが今日の多く仕事で必要です。このような人間の仕事については、表面的な対話データの模倣により、ある程度は人工無能（有限オートマトン制御）のAIで代行できる部分もあるでしょう（ＡＩ以下の応対しかできない人間も残念ながらいますが）。しかし、例外的な事態、初めての事態でも、深い理解や思考により適切に対応できるようなＡＩ、ロボットが誕生する具体的な目途が立っているとはいえない状況です。

専門家が考えるAIの危険性

国際学会ＡＡＡＩなどに集う、実際にＡＩの研究開発に従事している専門家が考えるＡＩの代表的な危険は、少なくとも当面は次のもののようです。

- 普通のプログラムと同様にバグで利用者を危険に晒すこと。
- 悪意をもった人間が与えたデータや不適切・不十分なデータによる学習結果が関係者に害、不利益を与えること。

一点目は別にＡＩに特有のものではないので、二点目が重要です。２０１５年に有名になった出来事に、グーグル・フォトの画像認識エンジンが黒人の男女をゴリラと自動タグ付けしたという事件があります。以下は、誤認識された女性本人からのツイートへのリンクです。

https://twitter.com/jackyalcine/status/615329515909156865/photo/1

これには、開発者や開発者の所属企業が謝罪する事態となりました。もちろん、CNNなどのAIアルゴリズムが「人種差別意識」をもってこのように判定したわけでもなんでもありません。

AI自身には意思も倫理もないので、学習データに忍び込ませた設計者の悪意や瑕疵、考え落としのせいで不具合を生じ、それが受容可能な範囲を超えないようにする配慮が必要となります。ここで、ディープラーニングが、普通のプログラムのように、設計者の意図通りに（バグさえなければ）振る舞い、問題点も分析しやすいものではない点が問題になり得ます。わずかな追加データを入れただけで結果が大きく変わり、しかも多くの場合、その理由の説明がつかない、という問題です（これはいわゆる「ブラックボックス問題」の一種です）。

課題によっては、これは、仕様か意図せざるバグかの区別が判然とせず、その改良方法も不明確、ということになるので、たしかに注意が必要です。データの提供者、データの選別・整備を行う者、ニューラルネットをトレーニングする（学習させる）者、評価改良する者の間で、責任分界点を無理やりにでも明確にする必要があるかもしれません。特に、日々、ユーザが指定する追加データを取り込んで学習し直す仕組みを導入するなら、ユーザにも精度確保の責任が生じる点についても相互理解し、合意を得ておく必要があります。

ロボット、AIの暴走を完全に未然に防止するのは困難

アシモフの「ロボット工学三原則」は成り立つか？

映画『ターミネーター』以来、すでに、未来社会で人工知能に人類が駆逐されるという類のイメージが広く流布しています。スティーヴン・ホーキング博士以外の有名人でも、マイクロソフト創業者のビル・ゲイツ氏、電気自動車のテスラや宇宙開発ベンチャーの経営で有名なペイパル（PayPal）共同設立者イーロン・マスク氏らが、AIは人類最大の脅威などとしています。

これに対し、実際にAIの開発に携わっている研究者、技術者は苦笑まじりに言うでしょう。「意識の謎も（まだ）分からないし、価値観、善悪の心、他者の生存権を奪ってでも自分が生き延びたい繁栄したい、などの本能や願望を機械にもたせられる手がかりはまだ皆目見当がつかない。目の前のAIプログラムに人による判定結果を学ばせるのに、データのゴミ取りとソフトウェア部品のバグ（瑕疵、不具合）取りで

苦労している」と答えます。前記有名人の期待（買いかぶり）や心配との間に大きな格差があります。

それでも、AIが将来人類に与え得る脅威の芽を摘んでおこう、と考えたなら、ロボットをテーマにしたSF小説の大家、アイザック・アシモフの考え出した「ロボット工学三原則」が実現できればよいのではないか、と思い当たります。アシモフが一連のロボットSF小説シリーズを30年にわたって執筆するなかで一貫して前提としてきたロボット工学三原則は、次の三カ条からなります。

●アシモフの「ロボット工学三原則」：

第一条　ロボットは人間に危害を加えてはならない。また、その危険を看過することによって、人間に危害を及ぼしてはならない。

第二条　ロボットは人間にあたえられた命令に服従しなければならない。ただし、あたえられた命令が、第一条に反する場合は、この限りでない。

第三条　ロボットは、前掲第一条および第二条に反するおそれのない限り、自己をまもらなければならない。

―2058年の「ロボット工学ハンドブック」第56版、『われはロボット』（小尾芙佐訳、ハヤカワ文庫ＳＦ）より。

初期の比較的単純なロボットの場合、次のような行動が見られたことが描かれました。第一条に従って倒れた人間を救いに近づこうとしたら、有害ガスに阻まれ、第三条が作動して元の場所に戻る。そこで自己への危険が去ったので、再び人間を救いに近づこうとするが再び有害ガスに阻まれて……というのを延々と繰り返した、というものです。

このロボット工学三原則は、技術がいくら進歩しても実現できないかもしれない、と議論されてきました。各条を守るために、ほぼ無限の可能性を検討して評価し尽くさなければならない、という「フレーム問題」というのがあります。この問題を回避するために、汎用的に様々な事態に対処することを諦めて、特定の問題解決に絞った人工知能（もどき）しか当面は作れないだろう、という議論もありました。

目的を、将棋に勝つことだけに狭く絞ったコンピュータプログラムでさえ、この問題に突き当たったように見えた出来事が２０１５年に起こりました。ある将棋プログラムが、対戦中の計算量を節約するために、過去の膨大な対戦履歴データ中に存在せず、常識では考えられない反則技に陥るのを回避するロジックを省略してしまいました。このため、対戦相手（人間）のある手をきっかけに、反則技を繰り出して人間に負けてしまったという珍事です。

これについて、複数の棋士・関係者による見解が述べられていました。それによると、自分に王手がかかっているにもかかわらず、あろうことか、それを放置したということです。人間ならば、まず犯さない過ちだったでしょう。王手を回避する、というのは、将棋の基本中の基本原則。自分を守る原則ということで、ロボット工学三原則の第三条に似ているといえるでしょう。開発者によれば、毎回ゼロからプログラムを作っているので、今回はたまたま作り込み忘れていて、それを本番まで気づかなかったということです。

コンピュータ科学の分野では、何かの制約条件を守りながら最適な解答を見つけ出すための問題解決手順（アルゴリズム）が多数考案されてきました。しかし、1日に訪問する客先を最短ルートで回るにはどうしたらいいか（「巡回セールスマン問題」図表9－1）など、一見単純・簡単そうな問題でも、計算量が爆発的に増大することがあります。30都市を回るとした場合、スーパーコンピュータ「京」でもすべての経路を計算するのに1000万年かかります。

その解決には、現在とは違う原理で問題解決できるように、量子コンピュータが高

図表 9-1　巡回セールスマン問題

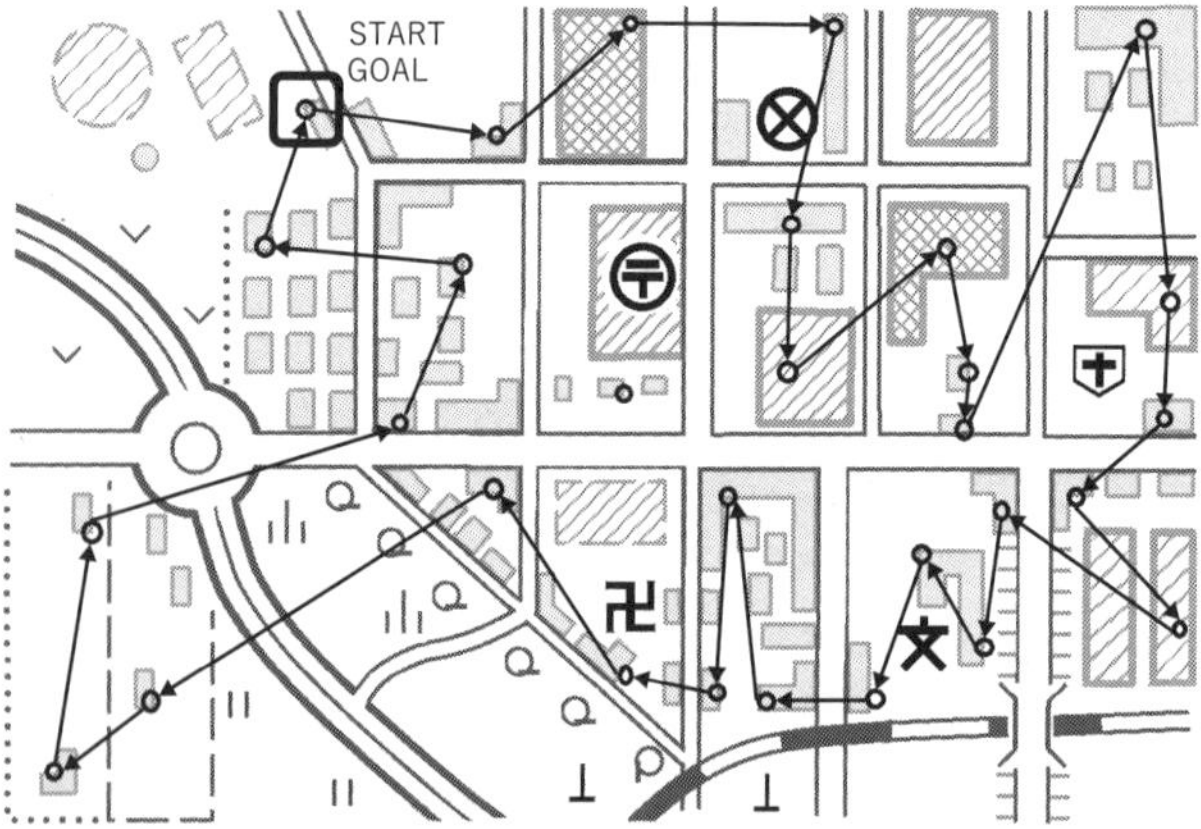

（出所）国土地理院ウェブサイトからダウンロードした電子地形図25000凡例を加工して筆者作成

度に進化しなければならない、と考えられています。あるいは、AIが、いい意味で人間のように「適当に」常識の範囲で、少ない解決案の検討ですませることになるかもしれません。この場合、ロボット工学三原則を機械に守らせることは実際上、不可能になってしまうことでしょう。

ウィキペディアにも解説されているように、考案者アシモフによれば、ロボット工学三原則が適用されるのは自我をもって自分で判断を下せるロボットに限られています。

「ロボット三原則が適用されるの

は自意識や判断能力を持つ自律型ロボットに限られており、ロボットアニメに登場する搭乗型ロボットなど自意識や判断能力を持たない乗り物や道具としてのロボットに三原則は適用されない。現実世界でも無人攻撃機などの軍用ロボットは人間の操作によって人間を殺害している道具であるが、自意識や判断能力を持たないため三原則は適用されていない」（ウィキペディア「ロボット工学三原則」より引用）。

ところが、自意識、自我とは何であるかの定義は不明確であり、その実態は科学的に解明されていません。そこで、この制約をはずして、家電製品を含むあらゆる機械にこれらの原則を適用できるよう個別に設計してやればいいじゃないか、という議論が説得力を持ちます。しかし、どんな機械が相手であっても、ロボット工学三原則を守らせる、すなわち、実装することは容易にできるのでしょうか？

ロボットが「ロボット工学三原則」を守るのは困難：責任感とは何か？

ロボット工学三原則の第一条を守らせるのは実際的に困難だ、という実験結果が出ています。人間役のロボットが穴に落ちるのを、第一条を実装された「倫理ロボット」が防ぐことができるかどうか。英ブリストル・ロボティクス・ラボラトリーのロボット学者のアラン・ウィンフィールド氏とそのチームが実験したところ、守る相手が1体のときはうまくいくが、2体の人間役ロボットを相手にした途端に倫理ロボットは混乱をきたし、相手をうまく守れなくなったそうです。2体のうちどちらを守るかの決断を迫られたときに、機械らしく、「厳密に考え」ようとして迷って時間をロスし、2体とも救えなかったケースがあったといいます。

もちろん人間でも、同じように混乱して文字通り二兎を追う者一兎をも得ず、という結果に終わることも多いでしょう。そして、「これは価値観の違いや、論理的な思考（計算）の速度がコンピュータよりはるかに遅いせいだ。コンピュータ（人工知能）ならそんな問題はないのでは？」という楽観的な見方もあったことでしょう。しかし、実験結果を見ると、実際の日常世界で起こる多様な出来事において、ロボットに三原則を守らせることが非常に困難ではないか、と予感させるものがあります。計算速度がいくら速くなっても、いくら膨大なビッグデータが使えるようになっても、AIが、初めて遭遇する倫理的な問題を解けるとは限りません。まして、責任をもって（刑務所に行く覚悟をして）決断できるようになることはないでしょう。

先の自動運転の例では、こんな事態が起こり得ます。青信号を通過しようとして前方を見たら、5メートル先の横断歩道の所で子供がサッカーボールを追って信号無視で道路に飛び出してきて、急ブレーキ踏んでも轢いてしまうのが不可避ですが、右側の対抗車線にハンドルを切ればちょうど手前に走ってきた車と正面衝突し、左にハンドルを切れば歩道を歩いている老夫婦を轢き殺すことになる。いずれも急な動作や衝突で乗員の重軽傷、最悪死亡も避けられない。さぁ、三択の選択肢からどれを選ぼうか。これは暴走するトロッコに置き換えてトロッコ問題とも呼ばれます。

ＡＩならば、人間よりも速く計算して、自車の加入する保険のプランと、相手の推定年齢、過失相殺の見込み比率、過去の裁定実績のビッグデータからの詳細な検索結果を参照できます。これらから推計して、後見人の刑期、賠償額が最も小さくなりそうな相手を選んで衝突させることさえできるようになるかもしれません。

しかし、この超高速計算機としてのＡＩが、たとえば若手で働き盛り、高年収（顔認証で瞬時にその個人の昨年の確定申告結果までアクセスして計算可能となり得たとしても活用は禁止されそうですが）の相手を避けて老人に体当たりする「決定」を瞬時に下したとしたらいかがでしょうか。道具に過ぎないＡＩが、責任者である人間の確認を経ずして、他人の生死を左右することには、大いに倫理的問題が指摘されてしかるべきでしょう。ＡＩの判断に、トレーニングの不足や、間違ったデータを学習したことによる誤りがあったときの責任追及はどうなるか。そもそもニューラルネットワークの構造が、特殊な条件で人を死に至らしめるのを許していたことが見過ごされていたとしたら。

また、事故現場で互いに利益相反となる人々が皆、「自分だけは生き残りたい」と思ったらどうでしょう。他の人やＡＩの示唆を出し抜いて、一瞬でも早く行動して自分は生き残る。これは、日本の法律の緊急避難の概念でも認められています。生物としての生存本能からすれば当然のことです。これを許さない、社会の利益のためには貴方が死ぬのが一番良い、とＡＩの裁定に従うように憲法や法律を変えるべきだという国民のコンセンサスが得られるでしょうか。

ＡＩにより、非人間的な仕事からの解放が進むか？

先に、教育、人材育成の議論のところで「人間を出来損ないの機械のように使っていた職場」に言及しました。酷い表現ですが、かつてどうしても必要で、人間が肉体労働、単純労働で埋めるしかなかった職種はいくらでもあります。昭和時代にいったん労働人口がピークに達し、のちにゼロになった職種の例として電話交換手がありま す。ダイヤルした電話のかかる相手の番号を選んでケーブルをつないだり、スイッチを切り替える仕事でした。

古く遡れば、遠距離の情報伝達がもっぱら飛脚などの人力によっていたり、動物が担えない動作を人力、肉体労働で行うしかなかった時代もありました。現代ならば、生活の糧と割り切って仕事に従事し、趣味や思索の世界で人間らしさを発揮するという選択も取り得ます。しかし、労働基準法のない時代には、毎日十数時間以上、単純作業に従事するだけの人生もあったわけです。現代とて安心はできず、実質賃金が下がり、非正規雇用の増大、格差拡大、貧困層の増大により、比較的豊かだった時期に比べて単純労働を長時間こなさねば生活できない人々、世帯が増える可能性は常にあります。油断はなりません。

様々な新しい道具、自動化を担う機械装置の発明、コストダウン、普及により、消失した職種は、先の電話交換手を氷山の一角として、ＡＩの導入以前にも多数ありました。急激な生産性向上が予想されたとき（実際には高々年に十数％程度と緩慢だったとしても）、最新の機械に労働者が不安を覚え、反発することも産業革命の時代からありました。このときの機械打ち壊し（ラッダイト）運動以来、繰り返されてきたことであります。

その際に、社会全体としては生産性が向上したにもかかわらず、新たな職種、役割へのシフトがうまくいかずに失業や収入減に見舞われた人もいたことでしょう。最近では、米国で、2008年9月以降のリーマン・ショックを乗り越える企業努力の一環で、業務効率化、自動化のためのソフトウェアの導入に拍車がかかりました。その結果、中流ホワイトカラーの4割が職を失い、米政府によるショック克服宣言の後も、半分以上が同様の収入に戻れていなかった、という指摘もあります。

強力なツールにより普通の人が創造的で面白い仕事にシフトし生産性・所得も向上

AIが社会に浸透した場合、従来の機械化、自動化、生産性向上と決定的に違うことが起こるのでしょうか？　これまで述べたように人格をもち人間を代替する存在のことはまだまだ想定する必要はありません（おそらく今世紀中は）。

今日のAIやロボットがあたかも人格をもっていそうで、労働者とそのまま置き換わるかにイメージされる点は誤解です。これらの存在には、財産権の主張も、刑事罰を甘んじて受ける責任能力もなく、主体的に自分の意思で相手と交渉するモチベーションももてません。現状（見通せる将来における）のAIはしょせんは道具にすぎない、と述べました。目や耳の機能をもち、また大量の文章から、人が指示した内容を抽出したり分類・集計するといった頭脳労働的なことができるようになった強力な道具です。道具は、工業のための生産財だけではなく、楽器の役割などの娯楽や、教育目的などに役立たせるものも含みます。

一方、今後ＡＩの進化が飛躍的に進化を遂げ、社会に浸透したとき、一部の特別に才能に恵まれた人、創造的な人だけが生き残って、他の普通の人は創造的な業務にシフトしたりできないのではないか？　現在の仕事から離れるだけで不安なのに、ある程度年齢もいっているのに、新しい創造的な仕事をこなせるようになるだろうか？自分には芸術の才能などない――。このような疑問や不安も、ＡＩが普及していく時代に特有のものかもしれません。

これについては、第一に、ＡＩが可能にした新しいツール群が創造的な業務へのシフトを助けてくれると回答します。そして、第二に、「なぜ」という疑問を梃子に、問題を発見し、それをＡＩや新たな機械群を駆使しながら解決しようと努めることで、ＡＩにできない「創造的な仕事」がこなせるようになる、と回答します。

現場の創造性を支える道具としての「弱いＡＩ」の普及が、人間の能力をどんどん高めつつ、自然に創造的な業務へのシフトをこなしていくことでしょう。この裏には数十倍以上という劇的な生産性向上とコストダウンがあります。しかし、たとえば従来、高コストすぎて、分析したくともできずに放置されていた大量のテキストを対象に、新しい仕事が生み出されるなどで、業務の自然なシフトが実現します。新たな知的生産物である分析結果から、「事実に基づく」判断を現場や経営陣が行えるようになり、社会全体の生産性も徐々に上がる方向へと力が働きます。

「人はますます〝クリエイティブ〟にシフトする」という予測は、素直に読めば、「機械が雑用、単純な事務処理、情報処理を代行してくれることで人間は人間にしかできない創造性（クリエイティビティ）溢れる活動に集中できるようになる」、と解釈されます。情報爆発が進行するなか、人が読みきれない、大量の受信メールやウェブ記事をソフトウェアが代読してくれたら本業に集中できます。非常にありがたいことでしょう。営利業者によるプッシュ（push）型の通知に代わり、本当に自分にとって有用そうな情報、たとえば先述のアドレス帳や営業データベースに含まれる姓名と一致した人物の講演案内をピックアップして提示してくれる機能など、今後は当たり前に使われるようになるのではないでしょうか。

広告の世界では、「クリエイティブ」といえば、いわゆるキャッチコピー、広告コピーと呼ばれる耳目を集める短文や、画像（静止画、動画）をもっぱら指します。昭和時代には、「いい日旅立ち」のような国民的名コピーが少数作られ、享受されていた感があります。検索連動広告が登場すると、十数文字のコピーなど、一企業でも同時に大量に投入され、毎日のように数百本、頻繁に書き換えられるようになりました。

「クリエイティブの量産」というのは厳しい要求です。ワン・ツー・ワン・マーケティングの要請、「マス・カスタマイゼーション」と同様、AI、ビッグデータを活用しなくては到底実現できるものではないでしょう。

AIがビッグデータを処理して、膨大な解析、分析の上流工程を代行するようになると、クリエイター集団は大いに恩恵を被ります。たとえば、発想の素材（動画など）を集めるのに、労働集約的なワークスタイルで膨大な時間を費やすのをAIが代行したとします。これで、煩雑で不毛な単純作業を長時間こなす苦行から解放されます。そこで浮いた時間を使って、うきうき、楽しい気分で、より面白い、良い感じの新鮮なデータを眺め、料理し、優れたクリエイティブを短時間で、制作できるようになります。

「なぜ?」を問いつづける:どんな職業、立場でも機械と差別化できる

物事の因果関係を考える

普通の人がＡＩに使われずにＡＩを導入し、鍛え、使う側にまわれるようになるにはどうしたらいいでしょうか? それには、問題、課題を発見し、新しい知識や業務そのものをモデル化してその効果を検証できる必要があります。そのような創造的な業務にシフトするひとつの鍵は、「なぜ?」という自問自答にあります。

「なぜ」は、５Ｗ１Ｈのひとつ。すなわち、いつ(When)、どこ(Where)、誰(Who)、何(What)、どのように(How)、そして、なぜ(Why)です。これらの英語は疑問代名詞、疑問副詞、疑問形容詞("What book":何の本のような使い方)と呼ばれます。ほかに、複数の候補から選ぶ、どの(Which)や、いくら(How much)、いくつ(How many)、どれくらいの時間(How long)などもあります。

疑問形容詞のwhichは"which book"(どの本)のように認知済みのものの中からどれを選びますか、という疑問を伝達するコミュニケーション機能があります。チョムスキーの次の世代の有力な言語学者のひとり、リチャード・ケイン博士は講演

で、which の関係代名詞用法“the book which 〜”（〜という本）と、語順がひっくり返った疑問形容詞用法“which book”（どの本）が無関係のはずがない、２つのものを結びつける指示参照機能という共通の認知機能が文法に投影しているはずだ、という主張をしていました。

５Ｗ１Ｈは、人間の認知能力において、ひとつの出来事における一連の関係者、属性をひとまとめとして考察対象にするのに重要です。「誰が、いつ、どこで、何を、どうした」といわれるように、ある時点、場所で発生する、人（who）や物（what）に関わる出来事（event）に共通するメタデータが５Ｗ１Ｈといえます。ひとつの出来事中の要素、あるいは属性が５Ｗ１Ｈであり、出来事と要素の間を結びつけて認識する基本的な仕組みということができます。

なぜ（Why）は、２つの事象を結ぶ因果関係を問う疑問文を作ります。目に見える出来事、それが自然現象であっても、社会の出来事、経済指標の変化などであっても、その原因が最初から目に見えていることは稀です。惑星の動きを説明するケプラーの法則を振り返ってみましょう。惑星は「惑う星」と名づけられていたぐらいですから、恒星と違って逆行したり不思議な動きが観察されていました。しかし、「なぜそんな動きをするのか？」については、ケプラーが１６０９年、１６１９年に次の３

つの法則を発見するまで分かりませんでした。

- 第一法則（楕円軌道の法則）
惑星は、太陽をひとつの焦点とする楕円軌道上を動く。
- 第二法則（面積速度一定の法則）
惑星と太陽とを結ぶ線分が単位時間に描く面積は、一定である（面積速度一定）。
- 第三法則（調和の法則）
惑星の公転周期の２乗は、軌道の長半径の３乗に比例する。

これらの法則は、宇宙空間に字で書いてあるわけではありません。得てして科学の本質は、見えないもの、特に、見かけ上、雑多でみな違って見える現象を、シンプルで美しい、コンパクトな数式やモデルで表現することにあります。前記第三法則は、江戸時代の日本の天文学者、麻田剛立も独自に発見していたといいます。

ケプラーの三法則により、たしかに惑星の動きを説明し、次にいついつの時点でどこに現れるかも正確に計算（予測）できるようになりました。では、なぜ「面積速度が一定」だったり、「公転周期の２乗が軌道長半径の３乗に比例」したりするのでしょうか。前者は、のちに、より基本的なf＝ma（力は質量と加速度を掛け算したもの）、慣性の法則などからなるニュートン力学の「角運動量保存の法則」がその本質的な理由だ、と判明しました。惑星の公転周期が短半径と無関係で、長半径にだけ依存するという不思議な第三法則も、ニュートン力学から導かれます。

実際には逆の経緯でした。アイザック・ニュートンは、自分が発見した、（地上の）運動の法則と、このケプラーの法則など、一見、文字通り天と地ほども違うものを結びつけて考えました。そして、宇宙空間で起きていることと地上の物体の関係を支配する法則が同じであると閃いて、万有引力の法則を導き出しました。

まとめると、惑星の動きを正確に説明するため、まず、より表面的な「なぜ？」についての回答がケプラーによって先になされた。そして、それは惑星に限らずすべての物体の動き、あらゆる引力の作用と同じである、という二者の結びつきを解明し、より深い「なぜ？」に回答する数式群をニュートンが生み出したということです。

ひょっとすると、惑星の動きの画像データ、生のビッグデータからケプラーの法則を追発見（再発見）するAIが近い将来誕生するかもしれません（もう誕生しているかもしれません）。売り上げや経済指標などのより身近なビッグデータから、特徴を抽象化し、抽出して、内部に潜む法則数式を見つける。こんなAI応用も珍しくなくなっています。人間があらかじめモデルの可能性を少し記述しておく程度で、実現可能です。

しかし、さらに深く、その数式が、「なぜ、そうなるのだ？」と考え抜き、リンゴの落下を見て、「リンゴは落下するのに、なぜ月は地球に落ちてこないのだ？　いや違うぞ！　月はリンゴと同じで地球に落ちつづけているのだ！　惑星と太陽の関係もまったく同じだ！」と発想し、結びつけるニュートンのような大発見ができるＡＩが作れるでしょうか。そのような、ゼロからの連想、独創性を備えたＡＩが出現する未来はちょっと想像がつきません。

ＡＩに負けない創造性は誰にもある

ここで、「自分がニュートンのような発見ができるわけないじゃないか！　私にはリンゴはリンゴ、月は月としか見られないし、月はなぜ落ちないのかなんて考えもしないのだから」というリアクションをされる方もいらっしゃるでしょう。しかし、われわれが仕事で、生活で、ちょっとした小さな障害、不具合、不便さに突き当たり、なぜそうなっちゃうのだろう？と考えて、回避策や抜本的な解決法を考えることは、結構頻繁にあるのではないでしょうか。

昭和時代の古き良き日本の工場では工員さんがちょっとした作業工程の工夫、改善案を出し合うＱＣ運動というのが盛んに行われていました。ＮＥＣはあるとき、それを事務員さんにも拡大しました。その結果、たとえば、現金決済の小銭を数えるのに、一枚一枚つまんでいたのでは時間がかかりすぎる、不毛だ、なぜもっと快適に気持ちよくスピーディに作業できないんだろう？　こう考えた地区採用の庶務担当さんが現れました。そして彼女は、その「なぜ？」という問題意識を持ちつづけていたためにお土産にもらったお煎餅の缶が、縦横とも10円玉の直径の10倍ちょっとあることに気付きました。このスチール缶に10円玉を放り込んでジャラジャラ左右に振り、すばやく平らに敷き詰めて、「ちょうど正確に１００枚！　これで１０００円ぴったり！」とやってみせて、オフィスＱＣ発表会で入賞しました。

いかがでしょうか。ケプラーの法則を発見できるＡＩは想定できます。しかし、誰かがその辺に置いたお煎餅の缶を視界の隅に捕らえて、まったく独自に（世界のどこかでは誰かが思いついていたとしても）小銭を高速に、手で数える方法を思いつけるＡＩがすぐに作れるとは想像できません。

先述のように、ＡＩが人間ひとりの全人格・全能力（厳しくいえば匂いや味、万能の手先の操作から生殖まで）を置き換えられるわけではありません。その見通しすら立っていないといえます。人の意識とは何か、野心、願望や不安、モチベーションとは何か、そういったことが科学的に、再現し作れる（あるいはＡＩに作らせる）までに解明できていないわけですから。

オフィスＱＣの例では、「不便だなぁ。なぜだろう？」と感じ、あてどもなく考えつづけ、「もっとはるかに楽な方法がきっとあるはずだ」と半ば無意識に考えるうちに発想が閃いたと思われます。何かひっかかりを感じたときに、「それはなぜだろう？」と意識的に「なぜ？」という問いを発することが重要でした。「なぜ？」は、まったく異なるものどうし（言葉と光や実際の味・匂いなど）を結びつけて、人間らしい発想の飛躍を成し遂げるきっかけになります。

素直な好奇心を持ちつづける

先述のように「なぜ？」には様々な深さ、レベルがあります。「なぜ遅刻したのか？」「寝坊したからです」のような具体的なやりとりや、禅問答のように観念的、抽象的なレベルなどです。様々なレベルで跳躍した2つの事象、状態（命題）を結ぶ回答があり得ます。そのどのあたりが相手にとって適切なのか、常識や、相手の反応に応じて絶妙に切り替えるようなＡＩができるには、まだまだ見通せないぐらい、遠い道のりがあります。

先の遅刻の例が、お母さんが子供に「なぜ遅刻したの⁉」と叱責したケースであれば、先のように、字義通り、論理的に嚙み合う回答文を返したのでは怒りの火に油を注ぐことでしょう。様々な家庭での会話を集めたビッグデータでもあれば、ＡＩは案外それを参照して「以降の会話で相手が沈静化する確率が高い回答」を計算して選ぶような模倣はできるかもしれません。でも、それは、「反省した態度を見せなければこの人は怒りつづけるのだな」と本当の意味で、痛い思いをしながら発話したのとは違います。

深く理解してレベルの違うどの２つの物事（事象）を因果関係で結びつけるかについては、人間の本物の価値観や快不快の感覚などが作用していると思われます。シドニーにあるマクドナルドの一アルバイトだったチャーリー・ベル氏は、「なぜ焼きムラができるのか」といった素朴な〝なぜ〟を、営業や投資部門など、あらゆる社内のポジションにおいて繰り返し自問自答しました。そして得た回答、仮説に基づいて試行錯誤を積み重ねた結果、最終的に全社のＣＥＯ（最高経営責任者）にまで登り詰めました。

このエピソードひとつとってみても、人間社会で（会社でも）、価値ある発想をして問題解決を実際に成し遂げて認められるのに「なぜ?」が有効なことが分かります。そして、この「なぜ?」がまさに当面、AIを寄せ付けないで問題解決をしつづけていく手がかり、梃子でありつづけることでしょう。

「なぜ?」を考えられる人であれば、よほど完全に機械の部品として仕事させられているような職場以外では、どんな業界、職種、地位であっても生き残れる。そして、純粋に「なぜ?」を発しつづけられるように、子供のように素直な好奇心(例:「なぜお空は青いの?」)や問題解決への強い願望、健全な競争意識(過去の先輩たちに対する競争)などを持ちつづけること。そして、上から与えられた現状に甘んじずに、より良い環境や成果物を作り上げようという、人間らしいモチベーションを自ら育成することがAIより優位に立つ秘訣といえるでしょう。

家庭内教育でも、学校や会社における教育の過程でも、子供たち、新人たちの好奇心を刺激して創造性に結びつけたいものです。子供の美点、新人らしい新鮮な驚きによる発想力を失わないような環境作りを行い、お互いに「なぜ?」「なぜ?」と問いかけ合うようにするべきではないでしょうか。

なお、ビジネスマンが、ビジネスの評価を振り返り、それを踏まえて施策を改善したり、新企画を考案する際にも、「その施策のせいでなぜこのような結果となるのか？」考え抜く必要があります。このあたり、2019年に日本経済新聞出版社から単行本として刊行した拙著『AIに勝つ！』に、「6重（6段階）のなぜ」を問う対話の具体例などを用いて詳述しています。参考になれば幸いです。

仮説・検証・棄却の試行錯誤が思考力を鍛える

ちなみに、筆者が7年間客員教授を務めていた法政大学大学院イノベーションマネジメント研究科の「ソーシャルメディア論」講座では、毎年、同じレポート課題を出していました：

- 課題1：

自分の将来ビジネスの顧客を想定し、ソーシャル広告作成ページと「対話」しながらターゲットを精密化し、なぜそのように設定したかを論述してください。

- 課題2：

そこで採用した広告クリエイティブ（画像と文章）を提示し、それらを見たら、なぜ自分の潜在顧客が思わずクリックしたくなるのか、その理由を述べてください。また、クリックしてフェイスブックページに移動したときに、納得、満足していただくには、ページにどんなコンテンツや機能（アプリ）が求められるか、2、3挙げてください。

課題1に回答するためには、まず、自分が、世の中の誰か（ターゲット層、顧客）の不便、お困りごとを発見、想定する必要があります。そして、それを解決するアイディアを出して、そのビジネスを定義します。その上で、ソーシャル広告作成ページで、ターゲット層を、1歳刻みの年齢、性別、学歴、年収、職種、居住地、興味・関心、消費性向など数十万種類の選択肢から選びます。どんな属性の人が自分の顧客か。これについて仮説を立てては検証し、棄却するという試行錯誤を繰り返しながら次第に明確にしていきます。

この過程で、まだ自分のビジネスが誰のためのものか、彼らのどんな困りごとを解決するものであるか、考え抜いていなかったことにほとんどの人が気づきます（私自身もそうでした！）。「なぜ彼らがそのビジネスの顧客なのか？」これを考えた具体的なプロセスと結果（「なぜ？」への回答）を、レポートにして提出しなければなりません。このような課題は、いくらネットを検索しても、過去に存在していないものですから、検索結果をランク付けしてコピペでつないで回答することは不可能です。

課題2も、ＡＩには当面無理ではないかと思われます。過去の類似クライアントが選んだ画像と雰囲気の似た画像を選んだり合成したりする、ということは、ディープラーニングで可能です。しかし、新しく作ったクリエイティブ作品をなぜ、クライアントが「思わずクリックしたくなるか」自信をもって理由を述べることができるＡＩなど、どうやって作ったらよいでしょうか。

そして、その、思わずそのクリエイティブ作品をクリックしたクライアントが、誘導されたページに来て、なるほど、とトータルで満足できるように、新しいコンテンツや新機能（過去に存在しなかったアプリ）を作るべきか、クライアントの気持ちになりきって想像する。さらにそのプロトタイプを自分で体験してみて、クライアントとして満足できるか自己評価してみようとする。こんなＡＩが仮に作れるとしても、かなり先のことでしょう。

ＡＩがビッグデータの力で人間の発想にヒントを与えることはできます。しかし、そのことと、ユーザになりきって自分の心の内面を想像し、新規の要求を独自に考えつく人間の発想プロセスとの間には、まだ大きなギャップがあります。一時期ＡＩの課題として話題となった東大入試の物理の問題などは、実世界の物理現象とニュートン力学や電磁気学との関係を本当に理解し、時に身体の平衡感覚も実際の感覚として理解していないと解けません。これをちゃんと解ける専用AIが出てくれば、少し先の展開が見えてくるかもしれません。

最初の関門、問題文を理解することについては、2018年秋頃から、グーグル発のBERTがある程度クリアしつつあります。BERTは、米国大学の英語読解の入試問題で優秀な学生の点数を超えています。しかし、その読解結果が、実世界の物事に紐づけられ、物理法則を本当に理解した結果、本当の意味で問題を「考えて」解けるようになるにはまだまだ時間がかかります。

知識労働から知能労働へ
…普通の人が創造的で面白い仕事にシフトし、生産性・所得も向上

通用しなくなる「知識労働」

AI導入に伴い新しく誕生する仕事を列挙せよ、といわれることがあります。次々と新種のAIが出てくる中、各々について具体的に示すのは困難です。馬車がまだ主流でわずかに自動車が出現したばかりの時代に、高速道路の保守や料金所の仕事、教習所や免許センターの仕事、損保の査定業務を描ききるのが困難だったのと同様でし

ょう。ただ、人間がＡＩを制御、補完、保守したり、あるいは従来不可能だった高度な新しい仕事にシフトすることは確かです。

専門業務の知識体系を一通り覚えて、一定の手順で仕事をしていく「知識労働」では通用しにくくなります。必要な知識はその都度検索したり（ＡＩの助けで）考案したりしてすぐ使い、すぐ忘れる「知能労働」へのシフトも起こるでしょう。例外的事態を楽しみ、考え、切り盛りし、面白いものに惹かれる人間ならではの感性をその都度活かして問題解決する。多くの現場で、そのような実力者がＡＩを支配し、ＡＩ以前より面白く、手応えある仕事を沢山こなしていくようになるでしょう。

オックスフォード大学オズボーン准教授らが２０１３年に公表した、98～99％の確率で機械に代替される数十種類の仕事（詳細は単行本版 p.454-459, No.5594-5656）ですが、ひとつとして、２０２０年初頭の時点で消滅しているものはないようです。

筆頭に上がっていた電話営業担当員（Telemarketers）など、売り込み電話はますます増えているように感じます。人間によるトークでも愉快でないのに、ＡＩの合成音声、まだまだ機転も融通も効かない機械制御の対話には聴き手が耐えられない。だから、移行しようがないという時期がしばらく続くでしょう。電話の受け手が儲かる、自動飲食店予約アプリ「1Click 飲み」（Mashup Award9 最優秀賞作品、

2013）は買い手による電話なので該当しません。このアプリも、合成音を聞いた店員が肝をつぶしてしまうせいか、実用化されたという話は聞かれません。代わりに、各種グルメアプリが、お店選びの楽しさとお得クーポンなどの工夫を凝らして、しのぎを削っています。

２０１９年頃から、新技術の登場に伴い、新市場が拓け、新しい仕事がどんどん生まれて雇用は減らないとする論が目立つようになりました。拙著『ＡＩに勝つ！』の第6章「新たに生まれる仕事群を楽しむ」の１「新しい道具の登場は多くの新しい仕事を生む」には、馬車の時代には不要だった高速道路、自動車保険、カーリース関連の仕事の誕生に触れています。また、同書第6章の３「ＡＩを人間の代わりに使うのは素人の発想」に記したように、ＡＩ活用プロジェクト成功のコツのひとつは、「従来人間がやっていなかったこと」をＡＩにやらせることです。あるいは、従来は経済的に見合わないなどで、やりたくてもできなかったことを、ＡＩを使って実施することと。その際に、ＡＩを使いこなし、保守するだけでも、何種類もの新しい、面白い仕事が発生します。

このような主張は、本書の単行本版を書きはじめた２０１４年頃は孤軍奮闘の感がありました。その後、人々が常時スマートフォン（スマフォ）を使うようになって、市場、消費者のニーズはどんどん贅沢に、高度になり、広くあまねく、きめ細かいサービスが求められるようになり、AIの開発や評価のまわりで多彩な仕事が生まれることがイメージされやすくなりました。

AI時代の仕事の変貌ぶり

ここで、AI時代に、従来の仕事がどのように変質するかの先行事例を見てみましょう。普通の人の働き方がどのように変わるかの具体例のほうが、仕事の未来について説得力をもちそうに思います。

PRESIDENT Online（プレジデントオンライン）連載「つながるサービスの達人」（第6回：2019年11月11日付）に、損保会社のタイアップ広告ながら、「コネクティッドカーの裏で『汗を流す人々』」という記事が掲載されました。

「今後の自動車は『CASE』がキーワードになる。Cはコネクティッド（インターネットなどとつながる）、Aは自動運転、Sはシェアリング（カーシェア等）／サービス、EはEVカーのことである。そんな中、コネクティッドサービスを提供するビジネスパーソンたちにスポットを当て、一般ユーザーはそれをどう使えばより快適なカーライフを過ごせるのか？　連載の第6回は実際にコネクティッドカーの背後でどんな人たちがどんな仕事をしているのか、直撃した」

ここでの主役は、自動通報受信デスクのスーパーバイザーの方です。クルマに強い衝撃があって停止。その通知を受け取った彼は、保険契約者＝ドライバーのスマフォに電話をかけます。「今、お客さまの車に衝撃を検知しました。どうかなさいましたか？」と。このメッセージは、すでにかなり自動化されたコネクティッドサービスとなっている、カーシェアリングのカーナビでも見ることができます（2018年頃からタイムズカーシェアにて確認）。

このほかにも、車載のDCM（Data Communication Module）が検知して送信してくる様々なデータに対応し、受け身でなく、自ら行動を起こします。電話だけでなくカーナビに表示を出して助言しています。今後は、居眠り運転の可能性を検知したら、路肩に停止することを車載スピーカーから助言したり、場合によっては、自動で誘導して停止させることさえ出てくるでしょう。自動運転が緊急時にドライバーに運転をスイッチするのに最大60秒間かかるといわれます（その間に高速道路なら1・7㎞走行）。それならば、中央制御センターのプロが何百台も監視しつつ（玉突き衝突時の負荷集中を避けるため全然違う場所の車をピックアップ）、要注意車（者）の運転をサポート、代行するのが正解でしょう。部分的に免責にするなど、法的に妥当な落としどころを見つければ必ずや実現可能と思います。

ＡＩ時代、ＣＡＳＥ時代の保険会社のサポート業務は、事故を起こして慌てている客からの電話を待つ、従来の受け身の業務とは正反対な、プロアクティブな働きに転換しています。従来は、場所もなかなか特定できず、名前すら、ひいては、車のナンバーや証券番号も不明なまま冷や汗を流しながら相手から情報を引き出すための会話に終始していたといいます。それに比べたら、実に余裕をもって、顧客に寄り添い、的確で有効なアドバイスを迅速に、効率よくできる。場合によっては、実際に自分の判断、裁量、作業により、追突などの２次被害から顧客を救うこともできるようになる――。

これは、スーパーバイザーの方自身が言うように革命的な変化といえるでしょう。この記事を初めて読んだとき、次のようにフェイスブックにコメントしました。「ＣＡＳＥで新しく生まれた仕事第一号かな。受け身で苦情に対応するより遥かに喜び、意義を実感しつつ、感謝の言葉を毎日もらえそう」。

「普通の人が創造的で面白い仕事にシフト」という形容には当たらない事例だったたか

もしれません。しかしスーパーバイザーの方が、手応え、やり甲斐のある仕事にシフトしたのは間違いないでしょう。AI導入による生産性向上という果実の分け前が適切に配分されれば、所得も向上します。他の業界、他の職種でもまったく同様に、生き甲斐にあふれ所得を向上するようになるかは定かではありません。ブラックボックスのAIの指示通りに人間を単純労働させるようなことを防ぐ仕組みが必要になるかもしれません。個々の業界、業務に即して技術的、法的に、また税制面から、人間が主役になれるよう工夫していくべきでしょう。

巨大IT企業による独占の問題への対応：労働経済の観点から

マクロ的には未来を恐れる必要はない

ラッダイト運動に始まる機械脅威論、ロボット脅威論には、マクロ経済的な視点を欠く面があります。すなわち、単純労働、つらい労働（かつては肉体労働）を機械が代行してくれるなら、人間は、根本的に「楽ができる」ようになるわけです。そして生産性が向上し、GDPや資産の数字が増大し、社会全体の富が増えます。人間の労働時間、特につらい労働の時間が減少しても、です。さらに、機械が単純労働、つらい労働を担ってくれることで、人間はより創造的で楽しい業務に専念できるようになるはずです。単純事務からも解放されて、いわゆるベーシック・インカムで、最低限の生活なら「遊んで暮らせる」生活が訪れてもおかしくはありません。政財界トップが確信をもって低所得層を不幸にしよう、彼らに所得を分配するのはやめよう、とでも考えない限り。

そこで、マクロ的な予測では未来を恐れる理由はない、というのが、AIやロボットによる人類の未来への悲観論に対する反論です。AIの現場にいる人であるほど、邪悪な意思を勝手にもちはじめるAIの開発などがいかに困難であるか、よく分かっています。彼らが今日恐れるのは、ソフトウェアのバグで人に危害を与えることです。仮にAIが自分で進化しかけることが将来あっても、その際にAI人類を邪魔者、敵とみなすことのないような制御回路を先回りして設ける猶予は十分あるでしょう。

一個人としては、「なぜ？」と問い、考えることで簡単にAIに勝ち、AIを使いこなして、質的にも量的にも優れた成果を出せるようになるのです。ですので、AIにまつわる悲観論は忘れましょう。今現在、一度きりの人生をどう充実して、創造的に生き抜くのか考えるべきではないでしょうか、と申し上げたい気持ちに変わりはありません。

巨大IT企業はなぜ、オープンソース化を進めるのか？

本当にそのような楽観ストーリーで人間の労働を取り巻く環境が良くなっていくかと考えたとき、ここへ来て、ひとつの悲観的ストーリーが浮かんできました。グーグルなどが、タダ同然の〝労働力〟を一斉に全世界に独占供給するようなことが起こり得るのでは？という懸念です。

ＡＩが、一部なりとも人間のする生産的な作業、すなわち労働を代行できるならば、道具でありながら、労働力としての特性ももっていることになります。そして、ＡＩは安く、疲れを知らず、一定以上の精度、品質で３６５日24時間働きつづけ、増員、減員もクラウド画面のメニューを選ぶだけでいつでも自由自在。かたや人間は、教育に時間がかかるし、それがうまくいくかも分からない。そんな面倒くさい人間のキャリア開発の代わりに、学習済みニューラルネットを入れ替えることで即時に新スキルを獲得できてしまうディープラーニング系のＡＩを使うほうがよいのではないか、という流れです。

グーグルなどが、高性能なディープラーニングのソフトウェアを商用フリーのオープンソースで公開したのは、いくつか理由が考えられます。そのソフトウェアをさらに洗練されたユーザインタフェース、周辺機能で使いやすくすべく、フィードバックを得る目的もあったかもしれません。また、広告収益で得た体力にものを言わせて、競合比で激安の画像認識やそのための学習キットをオンラインで提供するために、前評判をとるためだったのかもしれません（違うかもしれません）。

いずれにせよ、多数のユーザ企業が手持ちのスモール・データで若干の差別化を施し、クラウドにアップロードしてトレーニングするようになったとします。そうして、そのクラウドＡＩ提供サービスが独占的地位を得たなら、世界中のデータを手中にして、様々な認識タスクを大規模にダントツに高い精度で行いつづけられるようになるでしょう。

ＡＩによる、ビッグデータの学習結果は、プリトレインド・モデル（pre-trained model：事前学習モデル）などと呼ばれます。かな漢字変換のユーザ辞書に対する、内部非公開の大きな標準辞書のようなものです。スタンフォード大学が取りまとめた巨大なイメージネット（ImageNet）プリトレインド・モデルは貴重な人類共有財産となりました。今後、ＧＡＦＡなどから商用ベースでこのようなモデルが最初だけ無料で提供され、ビジネス利用者を依存させていくかもしれません。使い勝手、価格、そして、カスタマイズ、更新、バージョンアップのスピードで、誰も太刀打ちできなくなると、大規模で高精度な有償のモデルを独占されるようなことが起こり得る、というわけです。

グーグルは、最新の高機能なディープラーニング開発環境の「Keras」や、それを支える「TensorFlow」のコードをオープンソース化し、商用フリーで世界中に使用させています。これは気前がよいとか敵に塩を送るというのではありません。彼らは、真の価値はソフトウェアやアルゴリズムより、AIをトレーニングして〝より賢く〟するために必要な「データ」にあることを骨の髄まで理解しています。そこで、そのデータを自社の枠組み向けに加工してもらい、クラウドにアップロードしてもらおうとします。当然のこととして、グーグルは、検索エンジン（や広告、クラウドメールサービスGmailその他実験バージョンまで含めれば数十種類のソフトウェア）を無償で全世界の10億人以上に利用させることでサーバーに蓄積されるビッグデータについては、利用者のプライバシーの問題もあり、公開しません。

いずれにせよ、性能、精度に比して圧倒的な低コストでAIサービスが巨大IT企業によりクラウドで提供され、それがブラックホールのように全世界の「労働」ニーズを吸収してしまったらどうなるでしょう。AIサービスを、地球上で1社が独占的に提供するようになってしまうかもしれません。もちろん、身体を備えて現場で作業するロボット（physical robot）については、現地での保守サービス提供体制なども必要なので、急激な独占は起こりにくいでしょう。ですから、全労働というわけではありません。ホワイトカラーの担ってきた情報加工業務が懸念の対象です。

「働く人間」の本質が鍵を握る

「AIが労働者になるのか？」と考えたとき、自律的、自発的に働く人間の本質を考えてみる必要があります。ここで問題にしているのは、先述の財産権などの法的な身分ではありません。AIによる「労働」が本質的に人間の労働と同じとみなせるか、という問いです。そして、「なぜ、働くか？」という問いへの回答の中に、人間とAIの根本的な違いをうかがうことができます。

「『なんで働かないといけないんですか？』と聞いた学生への、とある経営者の回答」（安達裕哉著）によれば、彼が紹介したインターンを受け入れた会社経営者は、次の6つの回答をしました（安達裕哉『「仕事ができるやつ」になる最短の道』kindle版、日本実業出版社、2015年）。

1. 働くことは、お金をもたらす。工夫すれば楽しさも得られる。
2. 働くことは、明確な目標をもたらす。

3．働くことは、出会いをもたらす。一期一会の出会いで人生が変わり得る。
4．働くことは、学びをもたらす。
5．働くことは、信用をもたらす。
6．働くことは、自信をもたらす。

この中のひとつとして、本来の意味で、ＡＩのはたらきにあてはまるものはなさそうです。学習データが増え、できることが増えるのを「4．学び」と呼ぶことはできるかもしれません。そうして実績を出したことで、人間や他のＡＩに「5．信用」されることで、多くの仕事を任されるということはあり得るとしましょう。だからといって、「6．自信」を深め、生き甲斐をより強く感じて、従来の2倍、張り切って働くということはなさそうです。

ＡＩに財産権や金銭欲、100％自律的な意思に基づく人生目標をもたせたり、一期一会の偶然の出会いに切なさや感謝の念を抱かせる、などは、ＳＦ的な夢としてはあるでしょう。しかし、そのような「強いＡＩ」を開発できる見通しは当分立ちそうにありません。そのようなＡＩが可能になったとして、それらを量産し、人間同様の存在として大きな「人口」となるべきという社会的コンセンサスも得られないでしょう。

少なくとも当面の間は、後半の「4．学び」「5．信用」「6．自信」も、あくまで比喩的なものにとどまり、本物の自我、自意識による満足感などはＡＩはもたないでしょう。となると、人格のない道具であり、生産財です。労働力ではありません。

人間の労働力がイニシアチブを握り（スイッチを押しハンドルを握るように）、ＡＩという道具を使って生産性を向上させます。先述のように、少子化・高齢化で、ホワイトカラーの生産性向上が待ったなしの課題となっている日本にとって、うってつけの道具がＡＩです。新しい道具が誕生すれば、その手入れ、修理や改造、リースなど、新種の仕事が発生します。人間は、生産性向上による経済的利益の増大を全体として享受、シェアしながら、比重を増す、クリエイティブな、人間らしい仕事にシフトしていくことでしょう。

付加価値の源泉、アイディアで競い合う

労働力の独占というより、純粋な情報加工で済む、認識や分類のＡＩという生産財をグローバルな1社が市場経済の中で独占しそうになってきたら、それにどう対抗できるでしょうか？

ひとつは、特徴抽出結果の著作権を元の生データの所有者に認める、という、保護強化の方向でしょう。独占事業者が、自社ＡＩエンジンが自動抽出した特徴（法則のようなものを含め）を元データの所有者に無断で許可なく利用できないようにするものです。各国で法制度が違うことも障害となるし、このような「後ろ向き」の規制は、ＡＩの研究開発、発展の障害になるとして研究者や消費者の反発を招く可能性もあります。現に、２０１９年1月施行の改正著作権法はその正反対の方向へ舵を切り、ＡＩベンダー有利となっています。

もうひとつは、たしかに、地球上で1社はずば抜けて安いが、自社で必要な認識作業のコストは、人件費に比べれば１００分の1以下でたいしたことない。一労働者の作業全体の数パーセントを代替できるＡＩにかかるコストの微妙な違いよりも、業務の切り出し（unbundle）、再設計（rebundle）のコスト、保守・サポート、トラブルシューティングの人的コストのほうがはるかに大きくなる。ですので、国内のＡＩ開発支援業者の市場のパイも残されるだろう、という楽観論もあります。

実際に大きな付加価値を生むのは、同じ画像認識にしても、それをどのような状況で誰が何をしているときにどう活用するかというビジネス・アイディアのほうです。たとえば、高齢者の物忘れ、気づき漏れを補佐し、安全で快適なコミュニケーションを支援するＡＩを考えます。このコンセプトに必要な、視覚認知の精度とスピードをＡＩで実現する、という発想です。ただこのレベルでも、十分に普遍性があるので、海外で猛スピードで発達したサービスが日本語化されて、国内企業は淘汰されてしまうかもしれません。

しかし、その程度のことは、スマフォが様々な商品の市場を縮小したように、これまでも経験してきました。ＩＴ業界はもちろん、様々な業界で起きてくることとして、受けて立つしかない、といえそうです。海外との競争を嫌って国内産業の保護を図っても、そのＡＩはすぐに陳腐化して、海外の類似クラウドサービスに精度、性能、価格で圧倒的に負けてしまいます。

ＡＩ応用機器を対象に、過剰な許認可制の網をかけたりすれば、確実にその産業は国際競争から脱落し競争力をなくします。サービス利用者にとっても、産業界にとっても不幸なことです。ワード、エクセルの出荷や購入に中央省庁の許可証は不要です。人の命を扱うＡＩには何らかの規制が必要だとしても、様々なＡＩの精度を上げ、コストダウンする活動は自由に競わせるべきです。

ＡＩはあくまで道具にすぎず、最終判断を行って責任をもって活用するのは利用者である、という発想を徹底させたいものです。ＡＩ開発の国際競争は待ったなしです。パンデミックも、DXとそれに必要なAIの開発競争に拍車をかけています。日本のAI開発にブレーキをかけるようにAIを擬人化して囃し立てたり逆に脅威をあおったりするメディアや有識者の論調は、AIの実態に合わせて、控えてほしいものだと思います。

ロボットやAIへの抵抗感の少なさは日本に強み

日本は、欧米諸国に比べて低いホワイトカラーの生産性の向上が急務です。向こう15～20年の生産年齢人口の減少はその曲線まで正確に確定しています（もう彼らは生まれていますから！）。2015年の7592万人が2030年に6773万人へと1割以上の減少。2060年の予測値は4418万人と、2015年の58％です。2035年まで生産年齢人口が大きく減りつづけることも確定しているわけですから、積極的にAIを導入すべきことも明らかでしょう。そんな中、欧米に比べればロボットやAIへの抵抗感が少ない日本の強みはあると思います。

本書が、「AIが職場での自分のポジションを奪う」といった早計な誤解を修正し、生産性向上とサービスの拡充・改善、ひいては人々の生活水準の向上、幸福度の増大にAIが幅広く活用される一助となれば幸いです。

本書は、２０１６年11月に刊行した同書名の単行本をもとに、その後の情勢変化を踏まえて、文庫版用に一部を割愛し、併せて加筆・更新したものです。

日経ビジネス人文庫

人工《じんこう》知能《ちのう》が変《か》える仕事《しごと》の未来《みらい》[新版《しんぱん》]

2020年7月2日　第1刷発行

著者
野村直之
のむら・なおゆき

発行者
白石 賢

発行
日経BP
日本経済新聞出版本部

発売
日経BPマーケティング
〒105-8308 東京都港区虎ノ門4-3-12

ブックデザイン
鈴木成一デザイン室

本文DTP
マーリンクレイン

印刷・製本
中央精版印刷

Printed in Japan　ISBN978-4-532-19976-0

本書籍に関するお問い合わせ、ご連絡は下記にて承ります。
https://nkbp.jp/booksQA